•254

SONATE
D'AMOUR

Derniers romans parus dans la collection Modes de Paris :

LE PAON D'ÉMERAUDE
    par Katherine GORDON

LA FORÊT DES PLUIES
    par Suzanne ROBERTS

INTRIGUES À LA MARTINIQUE
    par Lorena McCOURTNEY

PATIENCE, MON AMOUR...
    par Ann GILMER

JUSQU'AU FIRMAMENT
    par Meredith BABEAUX BRUCKER

L'ORCHIDÉE NOIRE DE SUMATRA
    par Jacqueline BELLON

LA ROSERAIE DES AMOURS
    par Dorothy DOWDELL

INTRIGUES ET SECRETS
    par Marilyn AUSTIN

À L'OMBRE DU ROCHER MAUDIT
    par Sally TYREE SMITH

CŒUR INDOCILE
    par Elisabeth BERESFORD

A paraître prochainement :

L'ÉCRAN À DEUX FACES
    par Dorothea J. SNOW

Marlene PERRICHE

SONATE D'AMOUR

(A Heart Triumphant)

Roman traduit de l'anglais
par René de CECCATTY
et adapté par l'éditeur

EDITIONS MONDIALES
2, rue des Italiens — PARIS-9e

ISBN N° 2-7074-4152-X

CHAPITRE PREMIER

Shana n'arrivait toujours pas à y croire !

L'avion avait amorcé sa descente, crevant les rares nuages moutonneux, abandonnant le bleu profond du dôme céleste. Shana Morgan se pencha contre le hublot ; à travers les traînées de brume, elle devinait la fascinante beauté de son lieu de destination : Paris !

La veille encore, elle se trouvait à Akron, dans l'Ohio, où elle finissait de préparer ses bagages, en prêtant une oreille distraite aux conseils de sa mère, bouillant d'impatience, dans un mélange d'excitation, d'appréhension et d'exaltation. Son père, appuyé contre le chambranle de la porte de sa chambre, essayait de dissimuler son émotion sous un ton de froideur impersonnelle. Son frère et sa sœur, tous les deux beaucoup plus jeunes qu'elle, s'étaient habitués à l'idée de la voir partir, mais Shana avait remarqué dans leur regard un éclair d'émerveillement...

— C'est si loin ! s'était plainte sa mère. Tu vas me promettre de m'écrire au moins toutes les semaines ! Remarque, tu nous avais fait la même promesse, quand tu étais partie pour le conservatoire, et si nous recevions une lettre mensuelle, nous pouvions nous estimer heureux !

— Ne t'inquiète pas, maman, avait répondu Shana, avec un sourire affectueux. Tout ira bien, et je vous écrirai souvent.

— Mais tu vas te retrouver toute seule, pendant près d'un an dans un pays étranger ! protesta Mme Morgan, le regard torturé par l'inquiétude.

Shana ne s'était pas laissé émouvoir : c'était un tempérament têtu. Déterminée, elle arrivait toujours à ses fins. Mais cette fois-ci, sa passion l'entraînait un peu loin...

Son père avait chargé les bagages dans le vieux break et soudain, sans qu'elle eût même le temps d'exprimer toute son affection, l'heure était venue de partir pour l'aéroport ! Il y aurait d'abord une escale à New York où elle prendrait un autre avion pour Paris. Tandis que la voiture traversait la ville, dans la rue principale, entre deux haies de hêtres millénaires, Shana n'osa pas jeter un regard en arrière.

Toute la famille était venue jusqu'à l'aéroport, et elle avait joyeusement fait un signe de la main, tandis que sa mère essuyait une larme. C'était une magnifique journée d'automne, mais pour Mme Morgan c'était un jour déchirant. Pour Shana, par contre, la splendeur des rayons du soleil, la pureté du ciel, la masse imposante de l'avion sur la piste annonçaient l'aventure !

Et maintenant, après ces heures interminables de voyage, où elle s'était sentie suspendue entre sa vie familiale à Akron et la nouvelle vie qui l'attendait à Paris, elle allait enfin mettre le pied sur le sol français !

A l'aéroport d'Orly, elle prit un taxi, pour se rendre au cœur de Paris, dans les dernières lueurs du crépuscule. Tandis qu'elle pénétrait dans la « Ville Lumière », elle fut gagnée par un étrange sentiment d'appréhension.

Agée de vingt-trois ans, Shana était mince et menue ; elle avait des cheveux blonds, des yeux violets. Pour le voyage, elle avait revêtu un ensemble pantalon bleu ciel. Le chauffeur français, amusé par le ravissement de sa passagère, indiquait les monuments et les lieux célèbres de la capitale, avec des gestes éloquents.

La ville tout entière était baignée dans une lumière dorée, et la Seine méandrait à travers la ville. Shana admira la féerie lumineuse des Champs-Elysées, la grâce aérienne de la tour Eiffel, les hauteurs embrumées du Sacré-Cœur au loin. Comme ils longeaient les jardins publics, et traversaient les avenues bordées de vitrines merveilleuses, Shana pensa déjà : « Jamais, je n'aurai le temps de tout visiter ! »

Au moment où le taxi se gara devant le vieil immeuble de la rive gauche où Shana avait loué un petit appartement, Mme André, la concierge aux formes massives, ouvrait la porte : elle l'attendait. Elle portait dans ses bras un petit chat noir aux yeux d'émeraude. Elle souhaita la bienvenue à la jeune fille et, sans lui laisser le temps de respirer, elle expliqua aussitôt, dans un français très rapide, que l'ascenseur, d'acajou et de verre, était réservé à la descente et ne devait jamais être utilisé pour monter !

Shana hocha la tête pour montrer qu'elle avait compris et s'avança dans l'entrée, tandis que le chauffeur déposait ses bagages. Pour le plus grand étonnement de Mme André, le chauffeur ne tint aucun compte de sa mise en garde et, après une remarque ironique, que Shana ne comprit pas, il posa les bagages dans la cage de l'ascenseur, où Shana le suivit. Elle lui donna un pourboire généreux, pour le remercier de sa visite guidée.

Son appartement n'était pas somptueux, mais sympathique et confortable, avec des meubles usés mais fort présentables. Shana redescendit l'escalier, pour poser quelques questions à la concierge : Mme André, avec sa mine chafouine et déjà hostile, répondit laconiquement, sans bienveillance. « Oui », il y avait une boulangerie, au coin de la rue, ouverte jusqu'à sept heures du soir. « Oui », elle pouvait acheter du vin, dans une boutique assez proche. « Non », le magasin de primeurs ne devait pas encore être fermé.

Sans se laisser abattre par les manières peu aimables de Mme André, Shana sortit faire ces quelques achats. La Rive Gauche était un quartier plein de vie : des groupes joyeux d'amis marchaient sur les trottoirs ou se réunissaient à la terrasse des cafés.

Shana était loin d'éprouver le sentiment d'exclusion qu'elle redoutait à son arrivée : elle avait l'impression d'être déjà chez elle ! Son cœur vibrait, comme si une part profonde de Paris l'avait déjà atteint. Elle avait le pressentiment, en flânant nonchalamment pour faire ses commissions, qu'après un an d'études dans cette ville, elle ne serait plus la même !

Cette idée la fit sourire... Elle prit l'ascenseur et s'arrêta au deuxième étage. Elle rangea ses achats sur les étagères de la cuisine, ouvrit ses valises et commença à défaire ses bagages. Quand elle eut mis ses vêtements dans l'armoire et rangé ses partitions, elle posa la photo de sa famille, dans son cadre d'argent, sur sa table de chevet. Elle n'avait jamais été aussi loin de ses parents... Et elle avait l'impression de les reléguer dans un coin obscur de sa mémoire !

Sur une tranche de pain croustillant, elle étala le fromage onctueux qu'elle avait acheté. Elle savoura son léger repas, terminé par une grappe de raisin. Elle s'assit dans le fauteuil, près de la fenêtre, à travers laquelle, le regard perdu, elle voyait la Rive Gauche... Mais toutes ses pensées étaient tournées vers Nicholas Rubinsky.

Dès le lendemain, elle allait rencontrer ce géant du monde musical. Elle ne se lassait jamais d'écouter ses enregistrements. Il avait arrêté si brutalement sa carrière de soliste... Mais sa réputation de professeur de piano, génial et tyrannique, s'était étendue au monde entier. Shana se rappelait les efforts qu'elle avait dû faire pour mettre au point sa cassette d'enregistrement pour l'audition. Quand enfin elle s'était estimée à peu près satisfaite, elle l'avait envoyée et avait attendu, jour après jour, la réponse.

Finalement, la lettre était arrivée ! Une lettre administrative sèche, annonçait que M. Nicholas Rubinsky l'avait sélectionnée et l'autorisait, elle, Shana Morgan, à assister à son cours pendant une année à Paris : ses qualités d'interprète semblaient lui donner toutes les chances pour obtenir un prix ! La nouvelle l'avait tellement éblouie qu'elle avait pleuré de joie...

Pendant les longues journées d'attente, elle avait essayé de se préparer à un refus, et voilà que son rêve devenait réalité ! Même maintenant, assise à la fenêtre, dans la fraîcheur du soir d'automne, sous la brise légère, elle ne parvenait à y croire !

Shana s'était consacrée au piano dès l'âge de cinq ans, bien que sa famille ne fût pas particulièrement musicienne.

Le conservatoire avait été une expérience merveilleuse, et c'est avec nostalgie qu'elle se rappelait ces années de labeur qui avaient filé en un rien de temps. Elle avait découvert l'amitié, la solidarité de ses compagnons d'études. Mais l'amour était resté pour elle un monde inconnu. Rien ne pressait, s'était-elle dit : il viendrait en son temps. Qui sait, peut-être au printemps, à Paris...

Cependant, durant l'année qui venait de s'écouler, à force de limiter ses sorties et de restreindre ses rencontres, Shana avait fait d'immenses progrès. Elle s'en rendait compte elle-même. Ses capacités artistiques étaient en passe de s'affirmer. Elle avait toujours mis tout son cœur dans son interprétation. Mais, elle s'en doutait bien, c'était toute son âme, et son âme seule, qu'exigeait Nicholas Rubinsky !

Les bruits environnants, les rires et les cris des enfants des voisins, le bourdonnement de la circulation commençaient à s'affaiblir, tandis que la cité se plongeait peu à peu dans les ténèbres. L'excitation tenait Shana bien éveillée, mais il fallait s'attendre à une rude journée, pour le lendemain : elle prit donc sur elle de se coucher tôt ; après s'être rafraîchie sous une douche tiède, elle se glissa dans les draps râpeux de son lit étroit. Elle chercha longtemps le sommeil, où elle finit cependant par sombrer.

Quand, le lendemain, les rayons de soleil filtrèrent à travers les rideaux, Shana n'avait pas son content de repos : les séquelles probables du décalage horaire, conclut-elle. Elle était nerveuse, presque effrayée, à l'idée de jouer devant cet homme pour lequel elle avait traversé la moitié du monde...

Comment serait-il ? Elle essaya de se le représenter : il avait obtenu tout ce qu'elle désirait... La gloire, le respect des autres, la liberté de faire ses choix... Il devait avoir maintenant la quarantaine. La sagesse et la générosité l'avaient conduit à partager avec joie son art et son savoir avec des jeunes talents.

Shana choisit une robe simple, bleu lavande, qui mettait en valeur sa taille délicate. Elle noua ses cheveux blond cendré dans un ruban blanc. Elle se mira dans la glace fêlée de la salle de bains : elle vit un visage pâle, tourmenté. Pour la première fois depuis son départ des Etats-Unis, elle était envahie d'un doute, d'un doute qui n'allait pas la lâcher...

Ses partitions sous le bras, elle descendit légèrement l'escalier. Quand elle eut fait un premier pas dans la lumière du jour, elle regarda tout autour d'elle, enchantée par les nuances automnales des feuilles d'arbre et par le bleu lumineux d'un ciel sans nuages... Elle reprit courage.

Elle s'arrêta à un kiosque pour acheter *le Monde* et s'assit à une terrasse pour prendre son petit déjeuner. Mais malgré le parfum appétissant des croissants sortis du four et l'arôme du café crème, elle eut de la peine à manger. Elle parcourut les gros titres du journal, vérifiant avec plaisir qu'elle comprenait assez bien les articles. « Maintenant, se dit-elle, il s'agit d'améliorer mon français. »

Mais son attention revenait immanquablement à l'essai qui l'attendait : son appréhension ne cessait d'augmenter... Elle ouvrit sa serviette et feuilleta ses partitions. Sa leçon était prévue à onze heures. Terrifiée à l'idée d'être en retard, elle décida d'affronter, sans plus attendre, le dédale du métro, bien qu'elle eût pu, sans difficulté, gagner à pied l'hôtel de Nicholas Rubinsky...

Quand elle sortit de la station de métro et se retrouva dans une tranquille avenue de la rive droite, elle fut impressionnée par l'évidence, sans tapage, de la richesse de ce quartier, par l'austérité grandiose des immeubles de luxe et l'air hautain des passants qu'elle croisait.

Le hall de l'hôtel où Nicholas Rubinsky résidait en permanence était désert à cette heure de la journée : elle était toute seule dans l'ascenseur qui la conduisait au sixième étage. Quand, après avoir traversé un couloir silencieux et feutré, elle frappa à la porte, elle n'avait que quelques minutes d'avance sur l'heure prévue, car elle avait pris tout son temps.

Une dame âgée, aux mains noueuses et au dos voûté, vêtue sobrement d'une robe noire au col de dentelle blanc, vint lui ouvrir et la fit entrer dans l'appartement. Parlant lentement dans son meilleur français, Shana dit son nom à la vieille femme et déclara qu'elle avait un rendez-vous avec le Maître, à onze heures. La dame répondit trop vite pour que Shana pût comprendre, mais elle conduisit Shana dans la bibliothèque où elle lui fit signe de s'asseoir en attendant. C'était une pièce assez petite et encombrée de meubles, avec une baie vitrée qui découvrait au loin Montmartre et le dôme blanc du Sacré-Cœur. La gouvernante sourit à Shana et la laissa. On entendait quelque part, au fond de l'appartement, des notes de piano.

Trop tendue, incapable de se décontracter, Shana observa le décor. Les rayons des bibliothèques étaient chargés de livres, relevant de domaines divers : manifestement, leur propriétaire avait des goûts très éclectiques. Elle aperçut des livres en français, en allemand et dans des langues qu'elle ne pouvait pas reconnaître.

Elle découvrit enfin une rangée de livres aux titres anglais et fut rassurée d'apprendre qu'il connaissait sa langue ! Du moins n'aurait-elle pas de problèmes de communication...

Son regard s'arrêta sur un ancien secrétaire placé contre un mur en caissons. Une tapisserie représentait une scène de chasse, sur un fond sombre de tourelles moyenâgeuses. Un splendide tapis persan, aux dessins géométriques dorés et marron, était étendu au sol. Un immense vase de porcelaine verte était empli de fleurs d'automne. Un canapé confortable assorti à un ensemble de fauteuils tapissés de velours marron occupait la majeure partie de cette pièce déjà encombrée.

Shana se sentait de plus en plus mal à l'aise : n'était-elle pas déplacée dans ce décor luxueux et raffiné ? Elle prit, avec tout le naturel dont elle se sentait capable, une revue pour tromper son attente. Elle la feuilleta sans avoir la concentration suffisante pour lire les phrases pourtant simples qui légendaient les photographies.

Soudain on cessa de jouer du piano. Shana entendit un murmure de conversation. Rapidement, les voix se firent plus vives et détendues : mais on entendit la voix perçante et hystérique d'une jeune femme s'emporter. La dispute fut brève.

Shana ne put s'empêcher de sursauter quand elle entendit une porte claquer. Elle traversa la pièce et eut le temps d'apercevoir une jeune femme de son âge environ disparaître dans l'entrée. Elle allait la saluer,

quand elle vit une grimace de colère déformer les
traits du visage de la jeune fille, dont les mèches blondes volaient dans un mouvement vif. Cette dernière
avait hâte de s'échapper et ne remarqua même pas
Shana debout à l'entrée de la bibliothèque.

Toute bouleversée, Shana aurait été prête à suivre
l'inconnue dans le corridor. Mais elle y renonça, en
entendant derrière elle la voix grave d'un homme qui
s'écriait avec impatience :

— Eh bien, Mimi, et cette Américaine, où est-
elle ? Elles sont toutes les mêmes ! Toujours en
retard ! Je n'ai pas de temps à perdre, moi ! Quel est
son nom, déjà ?

Mimi le laissa tempêter à son aise et quand il eut
terminé, elle l'informa que Mlle Morgan l'attendait
dans la bibliothèque. Shana se retira vivement de
l'entrée, agacée d'avoir été déjà accusée d'un défaut
qu'elle n'avait pas et exaspérée que le célèbre professeur n'eût pas fait l'effort de retenir son nom...

Comme il apparaissait dans la pièce, Shana prit la
parole sans se préoccuper de paraître ou non discour-
toise :

— Je suis ici, monsieur, et j'attends depuis déjà
un certain temps. Je ne sais pas combien d'Américaines vous connaissez, mais je puis vous affirmer que,
pour ma part, je ne suis jamais en retard !

Ils s'affrontèrent dans un silence glacé. Shana
avait devant elle un homme d'une trentaine d'années,
au visage très séduisant et aux formes athlétiques. Il
avait les cheveux bruns, mais les tempes prématurément argentées. Il portait une barbe courte et taillée
avec soin. Il avait des yeux gris, aux arcades sourciliè-
res profondes et bien dessinées.

« Il avait une arrogance insupportable ! » se dit aussitôt Shana, hors d'elle. Il lui jetait un regard ironique, plein de morgue, levant avec mépris son nez aquilin d'aristocrate.

Il était vêtu d'un pantalon noir au pli marqué, une veste de soie grise sur une chemise d'un blanc immaculé. Le magnétisme qu'il dégageait effraya tout d'abord Shana.

En règle générale, Nicholas Rubinsky parrainait la carrière de musiciens européens, chez lesquels il savait trouver un tempérament plein de fougue et une détermination indéracinable, qualités qu'il estimait rares chez les Américains. Il lui avait fallu percevoir un talent exceptionnel, sur la foi de la cassette d'audition envoyée par Shana, pour accepter, en dépit de ses préjugés, de lui accorder cette bourse d'études avec lui.

Il la voyait en personne pour la première fois : une jeune femme menue, mince, aux immenses yeux violets, le considérait sans bienveillance. Elle avait un petit nez effronté, et ses pommettes étaient légèrement empourprées. Elle avait un air à ne pas se laisser intimider aussi facilement... Cela aiguisa l'intérêt de Nicholas Rubinsky.

Changeant aussitôt d'humeur (et Shana devait apprendre que ce serait un de ses traits de caractère), il lui sourit et lui tendit la main. En un instant, il avait troqué son arrogance et ses caprices contre une attitude non seulement avenante mais presque envoûtante...

Shana fit un pas vers lui et lui serra la main. Mais elle ne s'attendait pas à son geste : il pencha la tête pour lui baiser la main. Il la fixait des yeux. Elle avait la désagréable impression qu'il lisait dans son esprit.

Elle retint son souffle tandis qu'il effleurait sa main de ses lèvres. Il semblait admirer la finesse et la souplesse des doigts de son élève. Il dit d'un ton qui était nouveau pour elle :

— Suivez-moi dans le studio. Nous allons faire plus ample connaissance.

Elle le suivit dans une pièce lumineuse où deux pianos se faisaient face. Il y avait également un canapé avec des appuie-tête au crochet et plusieurs fauteuils confortables. Ses yeux s'attardèrent sur les magnifiques instruments. Elle avança inconsciemment les mains, comme pour commencer à effleurer les touches d'ivoire.

Avec un petit geste de la main, Nicholas Rubinsky lui fit signe de s'asseoir sur le tabouret et de se mettre à jouer pour lui. Toute appréhension disparut, Shana s'installa, redressa le dos, se concentra et se mit à jouer avec assurance, faisant passer dans ses doigts toute l'émotion que contenait son cœur. Elle joua un long morceau sans interruption.

Après en avoir joué plusieurs, elle plaqua un dernier accord et abandonnant le clavier, elle joignit ses mains sur ses genoux. Elle inclina la tête, se rappelant où elle était, anxieuse d'entendre le verdict. Pendant un long moment angoissant, il resta silencieux : elle avait l'étrange sentiment qu'il ne savait pas quoi dire exactement.

— Venez vous asseoir près de moi, demanda-t-il enfin.

Elle le rejoignit sur le canapé. Il la scruta. Elle avait l'impression qu'il entendait les battements de son cœur.

— Que pourrais-je dire ? commença-t-il, sachant

l'importance de chaque mot qu'il allait prononcer.
Vous êtes douée, Shana, et je pense que ce sera pour
moi un privilège d'être votre professeur.

Elle avait la gorge serrée. Allait-elle pleurer
d'émotion ? Son jeu avait donc réussi à l'émouvoir !
Elle, la petite Shana Morgan, venue de la petite ville
d'Akron, dans l'Ohio, elle était parvenue à émouvoir
le grand Nicholas Rubinsky, sur un terrain qui était
essentiel pour l'un et pour l'autre : la musique !

— J'ai cependant une sérieuse réserve, poursuivit-
il, comme s'il avait remarqué sa réaction. Elle est simple à exprimer, mais c'est un défaut difficile à corri-
ger.

Il se tut un instant.

— Votre jeu manque... d'une certaine maturité.
Pas techniquement. Votre toucher est excellent. Il
s'agit de maturité émotionnelle... Voilà ce que vous
ne possédez pas encore. Je pense que le temps y remé-
diera, mais il faut que vous ayez conscience du progrès à faire. Vous êtes, de toute évidence, une personne extraordinairement sensible et solide en même
temps. Cela se sent dans votre jeu. Evidemment, il y a
des questions de détail, et je pourrais vous faire des
suggestions çà et là.

Il prit place au clavier et lui donna des exemples,
en passant en revue les différents morceaux qu'elle
avait exécutés, indiquant des nuances, proposant des
changements d'intensité, de tempo. Bien qu'elle fût
parfois en désaccord avec lui, elle n'osait rien objec-
ter.

Quand il eut terminé, il se retourna vers elle, en la
fixant de ses yeux gris et sérieux.

— Réfléchissez à ce que je vous ai dit... Je suppose que vous avez résolu tous les problèmes pratiques de votre installation ?

Shana acquiesça : elle avait réussi à obtenir la permission de disposer du vieux piano d'accompagnement d'une église, en échange de quelques dizaines de francs hebdomadaires...

— Mimi ? appela-t-il.

La gouvernante apparut aussitôt à la porte.

— Pouvez-vous me dire quelles sont mes heures libres la semaine prochaine ?

Mimi alla examiner un agenda, près du canapé et, après l'avoir feuilleté, elle déclara :

— Jeudi prochain, à quinze heures, monsieur, dit-elle.

— Inscrivez donc mademoiselle Morgan, je vous prie, dit-il.

Mimi se retira après avoir noté le rendez-vous.

— C'est donc entendu, jeudi prochain, ajouta-t-il sans lui demander son avis.

Quel ton insupportablement autoritaire ! se dit Shana. Il ne lui avait même pas demandé si elle était libre à cette heure-là !

Mais, malgré son agacement, Shana ne put faire autrement que de répliquer docilement :

— Oui, à quinze heures, jeudi prochain.

Il la conduisit jusqu'au vestibule.

— Je pense que cette année sera fructueuse, fit-il, en souriant. Nous allons faire du bon travail ensemble, j'en suis certain.

« C'est cela, pensa amèrement Shana, maintenant que l'enchantement de la première minute s'était évanoui, ce sera merveilleux, à condition que je vous laisse parler et que je me contente d'écouter ! »

Mais la curiosité la dévorait et Shana ne put s'empêcher de poser une question :

— Qui était l'élève avant moi ?

Nicholas Rubinsky plissa les yeux.

— C'était Heidi. Elle est suisse. C'est une petite, pleine de talent et adorable, mais elle a un sale caractère ! Je ne sais vraiment pas pourquoi je continue à la prendre comme élève...

Shana baissa les yeux de sorte qu'il ne put remarquer l'éclair d'ironie qui passa dans son regard. « Je connais quelqu'un qui a aussi un sale caractère ! » pensait-elle.

C'est à ce moment-là qu'on entendit frapper à la porte.

— Mimi ! cria-t-il.

La diligente vieille dame apparut en trottinant dans le vestibule.

Ne pouvait-il donc rien faire lui-même ? Etait-il incapable d'inscrire un nom sur un agenda ? D'ouvrir une porte devant laquelle il se trouvait ? Décidément, il était étrange de le voir passer d'une attitude aussi séduisante à des manières aussi antipathiques !

Mais Mimi semblait être blasée de devoir satisfaire les moindres caprices de cet homme exigeant...

Shana, retenue dans le vestibule, regarda avec curiosité les deux nouveaux venus. C'était un couple disparate : un jeune homme mince, au visage émacié, vêtu d'un jean et d'un pull-over rouge à col roulé et une jeune femme habillée avec élégance et raffinement : elle portait un ensemble bordeaux, avec une étole de renard argenté ét, sur ses cheveux d'ébène coiffés en un chignon bas, un chapeau assorti à son tailleur.

— Simone ! Philippe ! s'écria Nicholas. J'avais complètement oublié l'heure, excusez-moi ! Entrez donc !

Le couple pénétra dans l'appartement : le jeune homme aux cheveux ras et aux vêtements négligés, suivant l'éblouissante jeune femme.

— Je vous présente Shana Morgan, mon élève américaine, poursuivit Nicholas. Puis-je vous présenter Simone Duvalier, l'étoile montante de l'Opéra de Paris, et son cousin, qui continue d'ascétiques études à la Sorbonne... Qu'est-ce que c'est, au juste, Philippe ? Economie ?

— Sciences politiques, précisa ce dernier dans un murmure.

Les regards du couple se posèrent sur Shana, gênée par leur franchise et plus particulièrement par la condescendance de la jeune femme.

— Tu avais oublié que tu m'avais invitée à prendre le thé ? gémit Simone, avec coquetterie, en déposant un baiser sur les joues de Nicholas. C'est un scandale !

— Comment pourrais-je t'oublier, Simone ? plaisanta-t-il. Ce n'est pas une chose à dire ! Allons, entre donc. Tu te joins à nous, Philippe ?

— Non, non... merci.

— Alors, tu seras peut-être assez gentil pour reconduire mademoiselle Morgan qui allait repartir...

Cette proposition fit aussitôt rougir Shana, furieuse de l'indiscrétion de son professeur et ne souhaitant qu'une chose : que le jeune homme cessât de la fixer avec cette impertinence...

— Ce sera un plaisir pour moi, répondit Philippe, en s'avançant dans le couloir de l'étage.

— Merci de m'avoir accompagnée jusqu'ici, dit Simone, en embrassant son cousin.

Comme elle passait devant Shana, cette dernière sentit le parfum exotique de Simone.

En refermant la porte, Nicholas rappela, sur un ton impératif :

— A jeudi, mademoiselle Morgan, et ne soyez pas en retard !

Tandis que Shana et Philippe s'éloignaient, ils entendirent le rire cristallin de Simone, derrière la porte...

« Pourquoi les Européens trouvaient-ils donc les Américains aussi légers ? » se demanda-t-elle. Elle bouillait d'exaspération. « Je suis vraiment généreuse se dit-elle, d'avoir fait autant de kilomètres pour me donner en spectacle à des gens qui veulent se divertir ! »

Le jeune homme était en train de lui parler et Shana, tout occupée par ses pensées indignées, n'avait pas entièrement saisi ce qu'il lui avait dit.

— Je suis vraiment désolée, dit-elle. Ne vous croyez pas obligé de m'accompagner où que ce soit. Je saurai très bien m'y reconnaître toute seule.

Son ton avait été légèrement agressif, mais apparemment il ne l'avait pas remarqué. Son offre semblait tout à fait sincère. Il serait ravi de l'accompagner dans quelle direction que ce fût. Il ne connaissait pas beaucoup d'Américains, et ce serait pour lui un honneur.

Il était difficile de résister à de telles démonstrations d'enthousiasme, et Shana se résigna à sortir de l'immeuble, en compagnie de Philippe Duvalier. Il la prit légèrement par le bras pour la diriger vers une petite voiture. Shana contint un sourire, tandis qu'il attendait patiemment qu'elle se fût installée pour refermer la portière. Tant de courtoisie la changeait de la désinvolture des garçons américains qu'elle avait jusqu'ici fréquentés !

La lumière du soleil de midi était chaleureuse, mais une brise piquante annonçait déjà la venue de l'hiver. Shana regarda en coin Philippe tandis qu'il démarrait et engageait la voiture dans la circulation du début de l'après-midi.

— Avez-vous mangé ? demanda-t-il.

— Pas encore, avoua-t-elle.

La nourriture, voilà bien la dernière de ses pensées, pendant toutes les heures qui venaient de s'écouler !

— Je serais vraiment très heureux si vous acceptiez de déjeuner avec moi.

Il paraissait le désirer si franchement, qu'elle n'eut pas le courage de décliner son invitation. Pourquoi ne pas faire connaissance ? Il paraissait, assurément, beaucoup plus sympathique et plus sensible que son nouveau professeur. Elle n'avait rien à risquer. De plus, elle avait le sentiment que cette sortie déplairait à Nicholas Rubinsky, ce qui lui donna une satisfaction supplémentaire.

— Merci, répondit-elle. C'est une excellente idée.

Ils traversèrent la capitale et passèrent sur la Rive Gauche. Après avoir garé la voiture dans une ruelle, ils se dirigèrent vers un petit café. Ils trouvèrent une table en terrasse, avec un parasol, et Philippe commanda un sauté de veau aux champignons pour tous les deux.

— Et maintenant, ajouta-t-il en s'accoudant sur

la table et en tenant sa tête entre les mains, vous allez me dire... comment vous trouvez Paris.

— Je ne suis là que depuis un jour ! répliqua-t-elle, mais Paris m'a déjà séduite ! Et j'espère connaî-tre cette ville rapidement et assez bien... Parlez-moi de vos études, poursuivit-elle.

Il expliqua qu'il était sur le point d'obtenir sa licence et que son but était de devenir journaliste. Il espérait être correspondant étranger, pour se trouver dans tous les lieux du monde où l'histoire se faisait... Il voulait écrire des articles sur tous les événements déterminants du monde d'aujourd'hui.

Il parlait en anglais avec enthousiasme et anima-tion, et quand un mot lui échappait, il le remplaçait par un geste expressif ou une mimique ! Il semblait avoir entièrement oublié sa timidité. Sa simplicité, sa franchise touchèrent Shana, qui le trouvait en outre tout à fait charmant.

Un peu plus tard, elle vit, avec déception, apparaî-tre deux amis de Philippe. Les présentations faites, les trois garçons se lancèrent dans une conversation ani-mée en français, que Shana ne parvint pas à suivre entièrement. Renonçant à ses efforts, elle se contenta de dévisager attentivement Philippe.

Il discutait vivement avec Pierre, un compagnon d'études, et Marcel, qui avait déjà une activité de journaliste. Elle observait, avec ravissement, les mou-vements expressifs des yeux sombres de Philippe et la mobilité de ses lèvres, signifiant le doute, l'amuse-ment, son désaccord... Après quelques regards soup-çonneux lancés dans sa direction, les amis de Philippe semblèrent l'accepter, et Shana recouvra l'assurance que lui avait fait perdre le regard hautain de Simone Duvalier.

Quand Marcel lui posa des questions précises sur la politique étrangère des Etats-Unis, elle se déroba avec gêne et dut avouer son ignorance en la matière. Philippe se précipita à son secours, en expliquant qu'elle était musicienne et qu'elle étudiait sous la direction de Nicholas Rubinsky. Quand ce nom fut prononcé, une admiration évidente se lut dans le regard des deux autres garçons.

Ces derniers avaient des courses à faire et au bout d'une heure, ils s'éclipsèrent. Shana et Philippe étaient toujours attablés : ils parlaient maintenant avec facilité de choses et d'autres. Elle se demanda s'il allait se proposer comme guide durant son séjour et elle se rendit compte, non sans confusion, que c'était son vœu le plus cher. Il y avait quelque chose d'attirant dans la personnalité de Philippe, et elle ne résistait pas à cette attraction.

L'après-midi s'étirait paresseusement. Finalement, Philippe poussa un petit soupir et déclara sans dissimuler son regret :

— Je dois aller à la bibliothèque, maintenant. Est-ce que je peux vous ramener chez vous ?

Shana hocha la tête, tout aussi désolée que lui de voir l'après-midi prendre fin. Il la raccompagna à pied jusqu'à son immeuble.

A l'ombre d'un platane, il hésita un instant sur le trottoir :

— Est-ce que je peux vous revoir ? demanda-t-il. J'aimerais bien vous faire visiter Paris...

— Ce serait merveilleux, répondit-elle chaleureusement. Merci, Philippe, d'être aussi prévenant avec une étrangère dans votre ville...

Elle ne put continuer car elle sentit deux baisers délicats déposés sur ses joues.

— Alors, à bientôt, fit Philippe le plus naturellement du monde. J'habite quelques rues plus loin...

Il s'éloigna avec un signe joyeux de la main, et Shana le regarda marcher sur le trottoir jusqu'à ce qu'il eût disparu au coin de la rue. Quand elle passa la porte de son immeuble, Shana fut surprise de découvrir Mme André qui la guettait, par la porte entrebâillée de sa loge. Sans s'en préoccuper, Shana se contenta d'avoir un léger sourire, plein d'innocence, et entra dans l'ascenseur.

Elle alluma la lumière dans son appartement et se prépara une tasse de thé : c'est seulement alors qu'elle ressentit le contrecoup de la fatigue de la journée. L'émotion consécutive à cette première épreuve parisienne laissait ses traces : elle était lasse et avait une immense envie de dormir.

Mais des phrases trottaient encore dans sa tête : « Je ne suis jamais en retard »... « ce sera un privilège pour moi d'être votre professeur »... « merci de votre gentillesse »... « à bientôt »...

Des images confuses se mêlaient : le regard dédaigneux de la belle Simone... l'insistance de celui de Nicholas Rubinsky... son silence quand elle avait cessé de jouer... la sympathie admirative de Philippe... l'humeur joyeuse de ses compagnons... la lumière d'automne sur Paris...

Quand enfin Shana s'enfonça dans ses draps, elle avait un sentiment de satisfaction. L'appréhension du

matin semblait s'être dissipée. Ou, pour être plus
exact, elle avait nettement diminué depuis la veille.

Mais une pensée la tracassait encore et l'empêchait
de trouver tout de suite le sommeil. Qu'est-ce que
Nicholas Rubinsky entendait par « maturité émotionnelle » ?

CHAPITRE II

Dans les jours qui suivirent, Shana eut l'impression que la vie remplissait ses promesses. Heures après heures, elle répétait avec conscience dans la petite sacristie de l'église Saint-Christophe, non loin de chez elle. Absorbée par son étude, elle finissait par ne plus prêter attention à la sonorité disgracieuse du petit piano, aux murs décrépis, aux claquements de porte autour d'elle. Sa seule préoccupation était de suivre attentivement les conseils de Nicholas...

Quand elle ne travaillait pas, Shana explorait les merveilles de la rive gauche : elle se familiarisait avec le quartier Latin, commençait à comprendre avec aisance les conversations en français autour d'elle, et ne se lassait pas des promenades qui la menaient aux bouquinistes des quais de la Seine...

Un après-midi, pour se détendre après plusieurs heures de piano, Shana alla se promener dans les jardins du Luxembourg. Elle observa les enfants qui faisaient voguer leurs petits voiliers dans le bassin octogonal, en suivit d'autres qui se dirigeaient vers le guignol, amusée que cette antique tradition se perpétuât. Dans le kiosque à musique, un chœur répétait pour un concert, et elle s'assit sur une chaise métallique pour l'écouter, tandis que le crépuscule commençait à étendre ses ombres.

Tout le décor prenait des teintes éclatantes et profondes. Le vert de l'herbe était brillant, et les feuilles des arbres rivalisaient de roux et jaune. Shana aurait voulu prolonger éternellement l'émerveillement de cet après-midi...

Ses pensées vagabondaient. Elle revivait sa leçon avec Nicholas Rubinsky : décidément c'était un homme capricieux et tyrannique ! Elle se souvenait avec plus de plaisir de la franchise de Philippe et elle avait vraiment envie de le revoir.

« Me voilà à un tournant de ma vie », pensa-t-elle.

Le sifflet d'un gardien en uniforme la tira de ses rêveries. Elle regarda tout autour d'elle : on annonçait la fermeture. Les jeunes mères s'arrêtèrent de papoter ensemble pour rappeler leurs enfants. Les personnes âgées sortirent de leur demi-sommeil sous les derniers rayons du soleil et se levèrent lentement pour se diriger, d'un pas traînant vers la sortie. Shana se joignit au groupe des promeneurs et revint dans son appartement.

Le lendemain matin, Shana se rendit à sa leçon. Nicholas Rubinsky la fit patienter dans sa bibliothèque. Son attente dura vingt bonnes minutes qui rendit Shana terriblement nerveuse.

Quand Nicholas Rubinsky apparut enfin, il semblait d'une humeur massacrante ! Elle le suivit docilement dans le studio. Manifestement quelque chose ou quelqu'un l'avait exaspéré.

— Eh bien, qu'attendez-vous ? Jouez enfin ! lâcha-t-il.

Elle réprima sa colère avec peine. Elle commença à interpréter une étude particulièrement énergique.

Une fois encore, il la laissa jouer tout son répertoire sans l'interrompre et quand elle eut terminé, il poussa un soupir. Elle n'avait pas joué avec autant de virtuosité qu'elle l'eût désiré. Etait-ce à la déception qu'elle devait attribuer cette crispation des lèvres de Rubinsky ?

— Mimi ! cria-t-il. L'heure du thé est passée depuis longtemps !

La gouvernante entra dans le studio, en murmurant des excuses.

Devant l'air désolé de Mimi, Shana ne put s'empêcher d'intervenir avec violence :

— Votre gouvernante a dit que vous lui aviez interdit de vous interrompre au cours d'une leçon. Comment pouvez-vous vous contredire ainsi ?

— Cette règle vaut pour les leçons ordinaires, expliqua-t-il et ce n'est pas le cas de la nôtre.

— Une leçon est une leçon, insista Shana. N'importe qui mérite un minimum de courtoisie !

— Qu'est-ce que vous me racontez là ? dit-il avec un air stupéfait, qui faillit faire éclater de rire Shana. Allons, venez plutôt vous asseoir et prendre une tasse de thé.

— La leçon est terminée ?

— Oui.

— Vous n'avez rien à dire ? Est-ce que vous êtes satisfait de mes progrès ?

— Il est trop tôt pour le dire. Vous devez encore travailler.

Voyant qu'il ne voulait pas parler davantage, Shana renonça à poser des questions. Il était évident qu'il était avare de commentaires et qu'elle devrait encore beaucoup travailler pour mériter des compliments de sa part.

— Vous voulez vraiment apprendre à bien jouer du piano ? demanda-t-il soudain.

— Mais c'est pour cela que je suis venue à Paris ! rétorqua Shana.

— Avez-vous déjà été amoureuse ?

Décidément, cet homme avait le don de poser des questions déroutantes. Shana rougit d'indignation devant si peu de discrétion. Elle ne répondit pas, et détourna les yeux devant l'insistance du regard de maître Rubinsky.

— J'en étais sûr ! lâcha-t-il, avec satisfaction. Cela se voit dans votre jeu. Vous avez su vous servir de certains de mes commentaires, mais vous avez fait un usage excessif de conseils venus d'ailleurs...

Il la regardait comme pour voir s'il pouvait aller plus loin.

Mais, sans lui poser de questions, il lui servit une tasse de thé.

Il lui tendit la tasse et se servit de même. Il prit un chou à la crème dans l'assiette de petits-fours qu'avait apportée Mimi. Il mangeait sans mot dire. Bientôt, l'assiette fut vide !

— Vous n'en vouliez pas, commenta-t-il, affirmativement.

« Mais vous ne m'en avez pas offert ! » pensa-t-elle. Elle l'avait observé se goinfrer comme un enfant.

— Cela fait grossir, répondit-elle d'un air supérieur. Je n'entrerais plus dans mes vêtements, à ce petit régime...

— Vous êtes trop maigre ! Les Américaines sont toutes trop maigres !

Elle préféra ne pas répondre à cette provocation.

— Moi, fit-il remarquer, j'ai beau manger tout ce que mes élèves refusent, je ne grossis pas.

— Je vous crois, dit-elle, en riant à l'idée qu'il était à deux doigts de se justifier...

— Je ne vous fais pas peur, n'est-ce pas ? fit-il.

— En effet. Vous ne me faites pas peur.

— Vous semblez avoir séduit Philippe, ajouta-t-il brutalement.

— Vraiment ?

— C'est un garçon charmant. Simone l'aime beaucoup. Son père possède plusieurs vignobles et aimerait que Philippe le seconde dans ses affaires. Vous pourrez admirer la détermination de ce garçon. Il a refusé, préférant ne devoir qu'à lui-même sa carrière. Cette décision a tourmenté sa famille, mais Simone l'a appuyé. Vous devriez l'encourager à vous faire visiter Paris. Je vous aiderai. Ce soir, vous allez nous accompagner à l'Opéra. Simone chante *Aïda,* et Philippe ne manque jamais une première de sa cousine. Il faut que vous acceptiez.

Shana ne soupçonnait pas dans quel état de frustration elle mettait Nicholas par sa discrétion et sa réserve : en général, il était très habile à découvrir les réactions de ses élèves, en leur enseignant la musique. Mais elle refusait de se laisser découvrir et involontairement, elle le bafouait !

Heidi possédait un aussi mauvais caractère que lui. Ses élèves garçons étaient pleins de respect, presque flagorneurs. Danielle, la Française, pleurait à toutes ses remarques. Il connaissait les défauts de chacun et en abusait, quitte à le regretter plus tard.

Shana se contentait d'une grande franchise, et même d'une certaine candeur, en parlant. Il ne l'avait vue que deux fois et il avait pu constater que l'audace ne lui faisait pas défaut. Il était surpris par l'énergie que cette jeune fille, aussi menue, aussi fragile, pouvait déployer, dès lors qu'elle était assise devant un clavier.

Il n'aurait pu expliquer pourquoi il désirait sa compagnie ce soir, à l'Opéra. Ni pourquoi il n'avait cessé d'y penser tous ces derniers jours. Il pouvait toujours se justifier, en se disant que ce n'était que pour Philippe, qui s'était confié innocemment à sa cousine, sur l'« Américaine »...

Nicholas était certain que Philippe n'avait pas osé inviter Shana. C'était donc à lui de faire le premier pas. Il ne fallait pas imputer à autre chose son intérêt...

Les yeux violets de Shana le regardaient sans trahir la moindre passion. Encore une fois, elle se tenait sur ses gardes.

— Je suis certain que vous y prendrez grand plaisir, insista-t-il.

Elle eut l'impression qu'il la suppliait presque, sans s'en rendre compte. Elle était diaboliquement tentée de refuser, pour lui prouver son autonomie et se venger de son attitude arrogante. Pourtant, elle hésitait. La perspective de passer une soirée toute seule dans son petit appartement, alors que Paris lui ouvrait ses portes, n'était pas très séduisante...

Comment renoncer, par ailleurs, à le taquiner ?

— Je n'ai pas de billet, fit-elle remarquer.

— Ce n'est pas un problème, dit-il avec un geste d'impatience.

— A quelle heure commence la représentation ?

— Vers huit heures et demie.

— Je vous retrouve ici ?

— Non, non. Philippe ira vous chercher à votre appartement. D'accord ?

— D'accord, répondit-elle, avec un sourire.

Ils finirent leur thé.

— Parlez-moi de l'Amérique, dit enfin Nicholas.

— Vous connaissez ce pays ! dit-elle avec surprise. Vous avez donné des concerts à New York, à San Francisco, à Chicago...

Le visage du pianiste s'assombrit. Shana se sentait mal à l'aise. Elle ne savait pas pourquoi, mais elle comprit que sa remarque l'avait touché à vif. Pour dissiper cette gêne, elle se mit à bavarder : elle lui parla de ses parents, de la manière dont ils avaient fini par acheter un piano d'occasion, en la voyant, à l'âge de cinq ans, s'asseoir par terre et faire semblant de jouer sur un clavier...

Elle lui raconta les difficultés de la vie de province, aux Etats-Unis, la lutte qu'elle avait dû mener pour réussir à concilier ses études scolaires et l'apprentissage musical.

Mais c'est avec une tendre nostalgie, qu'elle évoquait ce passé.

— Votre famille semble très heureuse ; fit-il observer. Vos parents doivent vous manquer ?

Sans doute, elle avait été heureuse parmi les siens. Mais à dire la vérité, ses parents ne lui manquaient pas beaucoup. Fallait-il s'en sentir coupable ?

La lumière du jour commençait à faiblir, et Nicho-

las se leva. Shana avait une dernière question à lui
poser.

— Je suppose qu'il faut s'habiller pour l'Opéra...
— Naturellement ! répliqua-t-il.

Elle aurait dû le savoir ! Elle perçut un certain agacement dans la réponse de Nicholas.

— Il faut que je parte, maintenant. Je vous
remercie pour le thé.

— Mardi, même heure, précisa-t-il en la raccom-
pagnant dans le vestibule.

Sur le chemin du retour, Shana pensa à sa toilette
pour sa soirée à l'Opéra. Elle remercia intérieurement
sa mère d'avoir insisté pour qu'elle emportât deux
robes longues.

Après une douche fraîche, elle sortit une robe longue, jaune, plissée à partir de la taille. Elle la vêtit et
jeta sur ses épaules le châle chamarré que lui avait
offert sa grand-mère. Puis elle s'installa devant la
coiffeuse et se brossa vigoureusement les cheveux.
Après avoir fait une raie au milieu, elle remonta sa
chevelure en couronne.

Elle était prête quand Philippe frappa à la porte. Il
était très beau dans son smoking gris perle.

— Il y a quelque chose qui ne va pas ? demanda-
t-elle, alarmée par l'étonnement du jeune homme.

— Vous êtes ravissante ! Venez, il ne faut pas être
en retard.

Durant le trajet de métro jusqu'à la rive droite, ils
n'échangèrent aucune parole. Il y avait un petit vent
frais, ce soir-là, et Shana frissonna.

Le palais de l'Opéra était somptueux dans la nuit,
sous le feu des projecteurs. Les spectateurs en vête-
ment de soirée se pressaient aux portes. Mais Shana

n'eut pas le temps d'admirer l'architecture, car Philippe l'entraîna à l'intérieur sans attendre. Il fut reconnu par les contrôleurs qui lui firent signe de passer.

— Ma cousine a obtenu un arrangement pour laisser passer Nicholas, avec quelques autres amis, expliqua Philippe. Elle garde toujours une place pour moi.

Une fois qu'ils eurent gagné leurs places, Shana jeta un coup d'œil à Nicholas, dont elle apercevait le profil tout près d'elle. Il avait la tête penchée du côté d'une dame âgée : il écoutait ce qu'elle lui disait, les sourcils froncés. Il rejeta la tête en arrière, et Shana entendit résonner son rire puissant.

Les lumières s'éteignirent, et le chef d'orchestre leva les bras pour commencer à diriger l'ouverture : dès lors, la musique seule compta. Simone incarnait une saisissante Aïda. Dès qu'elle apparut sur scène, un tonnerre d'applaudissements l'accueillit. Quand le silence revint, la voix pure et sonore de Simone emplit la salle, sans le moindre effort apparent.

L'entracte arriva trop vite. Shana, accompagnée de Philippe, alla dans le foyer. Il lui montra les fresques du plafond : elle en fut émerveillée ce qui rendit Philippe heureux.

Quand une sonnerie annonça la fin de l'entracte, ils regagnèrent leurs places à travers la foule. Durant le deuxième acte, Shana sentit, non sans un raidissement, que la main de Philippe se posait sur la sienne. Mais elle s'abandonnait au miracle de la musique, et quand l'opéra fut terminé, elle était encore sous le charme de la mélodie. Le rideau se leva sur les interprètes qui furent acclamés par le public. Simone obtint un triomphe.

En attendant que le théâtre se fût vidé, Shana remercia Philippe :

— Quelle soirée extraordinaire ! C'était merveilleux !

— La soirée n'est pas terminée, répliqua-t-il. On organise une petite réunion, et ma cousine aimerait que j'y sois. Je n'aime pas beaucoup ce genre de mondanités, mais avec vous ce sera différent...

Shana accepta avec empressement.

Il l'entoura de son bras, et ils sortirent dans la nuit froide. Shana vit Simone et Nicholas se glisser dans une limousine garée devant l'opéra. Philippe indiqua une autre voiture où ils montèrent. Avec plusieurs autres chanteurs, ils se dirigèrent chez *Maxim's*.

Shana ne voulait rien perdre du spectacle qui s'offrait à ses yeux. Il y avait foule dans le restaurant. Elle n'avait jamais fréquenté des endroits aussi luxueux ! Les verres de cristal, les couverts d'argent scintillaient au milieu de bouquets somptueux de fleurs exotiques...

— *Maxim's,* c'est un endroit où on aime se montrer, chuchota Philippe, en s'asseyant à côté de Shana en bout de table. Regardez il y a votre ambassadeur en France, là-bas... le directeur du *Monde* est un peu loin... et cette dame, qui entre en ce moment est une actrice de cinéma extrêmement célèbre...

Quand on eut servi le champagne et du soufflé aux homards, Nicholas leva son verre :

— A la plus brillante des jeunes sopranos de notre temps, à notre chère Simone Duvalier ! s'écria-t-il de sa voix claire.

Simone rougit légèrement en souriant : toutes les femmes de l'assistance semblaient disparaître à côté de la beauté éclatante de vitalité de la cantatrice. Tous les hommes avaient le regard posé sur elle...

— Qu'avez-vous pensé de Simone ? demanda Philippe à Shana.

— Elle a une voix exceptionnelle, dit Shana dans un souffle. Elle est également très belle...

— Oui, répondit Philippe avec orgueil. Vous êtes les deux femmes les plus belles de l'assistance... ajouta-t-il, en fixant hardiment le regard violet de Shana.

— C'est très gentil à vous, Philippe, répliqua-t-elle, flattée par ce compliment. Mais je n'appartiens pas à la même classe que Simone. Elle est si sophistiquée, si mondaine...

— Vous possédez une autre sorte de beauté, fit-il avec sérieux, en se rapprochant d'elle, pour parler de manière plus intime dans le brouhaha. Je ne me suis jamais bien senti dans ce genre d'endroit... mais maintenant, j'ai l'impression que je me sentirais bien n'importe où si vous êtes à mes côtés... Mais peut-être trouvez-vous que mes paroles sont trop hardies ?

— Vous vous sous-estimez, Philippe, dit Shana que la douceur et la courtoisie de son ami attendrissaient. N'importe quelle jeune fille serait flattée d'être à vos côtés.

Philippe sourit, et Shana répondit à son sourire quand soudain, elle croisa le regard sombre de Nicholas Rubinsky. Il ne détourna pas les yeux. Philippe, intrigué, se retourna : Nicholas eut alors une petite moue ironique et reprit sa conversation avec Simone.

— Ils sont très bien assortis, n'est-ce pas ? fit remarquer Philippe.

Shana ne daigna pas répondre. Elle était troublée

par l'insistance du regard de Nicholas. Pour éviter
d'avoir à répondre tout de suite, elle prit sa coupe de
champagne et but. Bien qu'elle ne fût pas habituée à
l'alcool, elle prit plaisir à laisser pétiller le vin sur sa
langue.

— Ma cousine est la... protégée de Nicholas,
reprit Philippe. De bonnes langues prétendent qu'il
s'agit plus que d'amitié...

Shana était agacée par l'hésitation de Philippe.

— Vous ne semblez pas beaucoup aimer Nicholas..., dit-elle.

— Mais si ! répliqua-t-il aussitôt. Nicholas a toujours été très gentil avec moi, il m'a même défendu
quand j'ai rompu avec ma famille. Il a toujours consi-
déré, avec bienveillance, mes choix et mes études.
Quand il daigne oublier qu'il est le meilleur pianiste
du monde, il est de bonne compagnie...

— Vous êtes très sensible et intuitif, murmura
Shana. Pourquoi est-ce qu'il ne vous plaît pas ?

— D'un point de vue objectif, commença-t-il, je
dirais que monsieur Rubinsky a un défaut majeur : il
estime de son devoir d'intervenir dans la vie de tous
ceux qui l'entourent. Comme c'est un excellent professeur dans son domaine, il se croit capable de donner des leçons sur n'importe quel sujet...

Shana regarda à nouveau Nicholas. Il parlait à
Simone. Shana remarqua son profil aristocratique,
ses hautes pommettes, le mouvement de ses cheveux
bouclés, sa courte barbe. Elle observa son aisance
dans la conversation, son attention à tous les sujets et
déclara :

— Il en est peut-être capable.

— Il n'a aucune leçon à me donner, à moi, répliqua sèchement Philippe. Vous êtes captivée par lui, Shana. Comme tout le monde, vous savez... Vous ne risquiez pas d'échapper à la règle ! (Il s'emportait et sa voix semblait trahir un sentiment de jalousie.) De toute façon, ajouta-t-il d'un air de complaisance, il est avec Simone et vous êtes avec moi...

Shana avait une grande envie de changer de sujet.

— Dites-moi, que comptez-vous faire quand vous aurez votre licence ?

Philippe retrouva son enthousiasme : Marcel allait l'engager comme reporter dans son journal. Il commencerait par « les chiens écrasés », et puis il s'occuperait progressivement de politique à travers toute la France, et il espérait terminer comme correspondant à l'étranger.

— Cela ne vous ennuie pas de devoir être toujours en déplacement ? demanda-t-elle.

— Drôle de question pour une apprentie concertiste !

— Vous avez raison ! admit-elle, en éclatant de rire. Mais vous savez, j'attache une grande importance au mariage et aux enfants ! Je veux être la meilleure musicienne possible, c'est tout. Est-ce que vous pensez que vous pourrez un peu me faire visiter la ville, samedi ? Je me suis un peu aventurée toute seule déjà, mais je suis certaine que j'ai manqué beaucoup de choses...

— J'en serais ravi, s'écria Philippe, enthousiaste. Samedi, au début de l'après-midi ? Ce serait formidable. On pourrait visiter l'île Saint-Louis et l'île de la Cité, pour commencer, et puis je vous inviterai à dîner dans mon appartement. Comme tous les Français, je suis un cordon bleu !

Il arborait un charmant sourire d'enfant auquel elle ne sut résister.

— Fabuleux ! dit-elle.

— Simone m'a demandé de vous accompagner chez elle, plus tard. Nous pourrons l'appeler après la représentation et aller ensemble à Montparnasse. C'est un quartier très animé, le samedi soir.

Simone apparut soudain à côté de Philippe. Dans sa robe du soir bleue à paillettes, elle était impressionnante. Elle dévisageait Shana effrontément. Depuis quand les épiait-elle ?

— Eh bien, mon cher cousin, dit-elle, tu sembles extraordinairement en forme !

— Assieds-toi, je t'en prie, Simone, invita Philippe, en avançant la chaise que son voisin avait laissée.

— Alors, chère amie, que pensez-vous de l'opéra et des chanteurs français ? demanda Simone en se tournant vers Shana.

— Quelle magnifique Aïda vous avez incarnée ! C'était un véritable enchantement !

Simone eut un sourire satisfait, comme si ce compliment lui était chose due.

— J'espère que vous vous plaisez chez *Maxim's*, continua Simone. Vous n'en avez peut-être pas entendu parler en Amérique, mais c'est un endroit très particulier, ajouta-t-elle non sans condescendance. Le père de Philippe fait toujours envoyer son meilleur champagne pour mes petites réunions.

— C'est splendide ! s'écria Shana, en ignorant le ton supérieur de Simone.

Sans laisser à Simone le temps d'être encore plus

désagréable, Nicholas apparut et prit Simone par le bras, en l'entraînant.

— Il faut que je parte maintenant, dit Shana à Philippe.

— Oh ! vous pouvez bien rester encore un peu ! protesta Philippe. La soirée ne fait que commencer...

— J'ai encore le temps de prendre le métro, n'est-ce pas ? demanda Shana, sans se laisser fléchir.

— Oui, mais je vais vous accompagner. Vous ne risquez rien, la nuit à Paris. Mais on ne sait jamais, et je préfère vous escorter.

— Si j'ose espérer un jour avoir la moitié du talent de Simone, il faut que je me mette à travailler sérieusement. J'ai envie d'aller à Saint-Christophe, ajouta-t-elle. Je voudrais faire quelques exercices...

— A cette heure ? s'écria Philippe, éberlué.

— Pourquoi pas ! répondit-elle, avec désinvolture. Quand j'étudiais au conservatoire, les étudiants avaient toujours les clés des salles d'études. On sait que leurs caprices sont imprévisibles !

Il secoua la tête, d'un air incrédule.

— Eh bien, je pense que nous ferions bien de prendre congé.

Il la prit par la main, et ils s'éclipsèrent.

Shana ne remarqua pas le regard de Nicholas. Si elle l'avait croisé, elle aurait été intriguée par son expression troublante.

Il était tard. Le métro était pratiquement vide, tandis qu'ils revenaient vers la rive gauche.

— Est-ce que vous êtes sûre de ne pas pouvoir attendre jusqu'à demain pour jouer ? demanda Philippe, tandis qu'ils descendaient à leur station.

— A bien y réfléchir, dit-elle, cela pourra attendre.

Il l'accompagna jusqu'à l'entrée de l'immeuble,
où les lumières de Mme André, pourtant toujours aux
aguets, étaient éteintes...

Philippe étouffa un bâillement, qu'il ne parvint
pas à dissimuler.

— Rentrez chez vous, Philippe, dit Shana en
riant. Je peux trouver l'ascenseur toute seule.

— C'était une soirée merveilleuse. Alors à
samedi ?

Ils étaient tous les deux, face à face, sur le trottoir,
à l'ombre du réverbère.

— Oui, répondit Shana, avec un frisson.

Ils ne savaient pas de quelle façon se quitter et res-
taient là à se regarder en souriant. Soudain, Philippe
s'approcha de Shana. Il l'attira tendrement
contre lui. Soudain les phares d'une voiture balayè-
rent le trottoir, et un coup de klaxon retentit, rompant
l'enchantement...

— Bonne nuit, Philippe, lança Shana, en se déga-
geant lestement.

— Bonne nuit, ma chérie, crut-elle entendre, en
français, en refermant la porte derrière elle.

Quand elle se fut retrouvée dans son appartement,
Shana était encore sous l'emprise d'une forte émotion. Elle se déshabilla rapidement, et après s'être
lavée, se glissa dans son lit. Mais il lui fut impossible
de dormir. Alors, se levant prestement, elle enleva sa
chemise de nuit et revêtit un jean et un chandail. « Je
vais jouer du piano », se dit-elle.

Elle ressortit, hâtant le pas, dans la nuit déserte.
Elle regardait fixement devant elle. Elle n'était pas

très rassurée, à cette heure tardive dans les rues sombres de la ville.

Avec un soupir de soulagement, elle entra par un petit jardin de côté, à Saint-Christophe. Elle pénétra dans la sacristie qu'elle éclaira. Elle ne verrouilla pas la porte derrière elle, sachant qu'à cette heure de la nuit, elle ne risquait pas d'être importunée. Se sentant en sécurité, elle s'assit au clavier, les mains déliées et l'esprit clair.

Au bout d'un moment, après quelques gammes, elle sentit une paix profonde s'installer en elle.

Le jour était levé quand Shana s'arrêta enfin. Les habitants du quartier commençaient à se réveiller. Un marchand de fleurs arrangeait des bouquets de chrysanthèmes et de marguerites sur sa petite charrette.

CHAPITRE III

Ce samedi-là, dans un ciel sans nuages, le soleil d'automne régnait dans toute sa gloire. C'était le genre de temps à faire sortir tout le monde dehors, ne fût-ce que sur le pas de la porte, ou sur les quais de la Seine. Les touristes envahissaient les rues, tandis que Shana et Philippe commençaient leur promenade dans l'île Saint-Louis, lieu historique miraculeusement préservé.

Ils admirèrent sur l'île de la Cité les étonnantes gargouilles, les voûtes et les vitraux de Notre-Dame, ainsi que la Sainte-Chapelle. Leurs regards s'attardèrent sur les vitrines des boutiques de mode. Et ils marchèrent longtemps d'un pas tranquille le long des berges de la Seine.

— Nous avons choisi une journée idéale pour cette expédition, fit remarquer Philippe. Le soleil est même de la fête pour te séduire...

— Tu ne vas pas me dire qu'il ne pleut jamais, rétorqua Shana, acceptant le tutoiement de Philippe.

— Hélas ! cela arrive, répondit-il. Mais Paris est magnifique sous la pluie. Tu verras. Oh ! Shana ! je suis tellement heureux que tu sois là ! ajouta-t-il, les yeux brillant de joie.

— Moi aussi, répondit-elle, en lui souriant.

— Est-ce que nous continuons notre visite touristique ? Nous allons visiter le Louvre ?

— Oh oui ! s'écria-t-elle, avec enthousiasme.

Les heures passèrent vite dans les salles fabuleuses du musée le plus célèbre du monde. Il l'entraînait d'un chef-d'œuvre à l'autre.

— Je crains bien d'en avoir assez vu pour une seule journée ! dit-elle finalement, avec une pointe de regret. Surtout, si nous devons aller voir Simone, après sa représentation, ce soir...

— J'ai abusé de tes forces, reconnut Philippe, tandis qu'ils sortaient du Louvre. Viens, nous allons boire quelque chose.

Ils prirent un taxi pour revenir à son appartement, sur la rive gauche. Son immeuble ressemblait beaucoup à celui de Shana : une construction du XIXe siècle, ombragée par des arbres centenaires. Il n'y avait pas d'ascenseur, et Shana dut gravir péniblement les trois étages...

— Je crois que je t'ai épuisée, dit Philippe, en lui faisant signe de s'asseoir sur son divan. Excuse-moi un instant.

Et il disparut dans sa petite cuisine.

Shana avait les jambes engourdies par la fatigue : elle les étendit devant elle. Elle s'allongea sur le dos, les mains sous la nuque, en observant le décor autour d'elle. Les livres et les papiers étaient empilés sur le bureau de Philippe, dans un coin. Les vitres avaient été faites récemment...

C'était une pièce simple et confortable qui laissait apparaître facilement les intérêts studieux de Philippe. Sans s'en rendre vraiment compte, Shana établissait une comparaison avec le décor luxueux de l'appartement de Nicholas. Surprise de se sentir autant à l'aise dans le petit appartement de Philippe que dans la suite richement décorée de Nicholas, elle eut un sourire amusé.

Philippe réapparut avec des apéritifs et une assiette de fromage. Ils se restaurèrent en évoquant les merveilles qu'ils avaient admirées durant l'après-midi. Au bout d'un moment, Philippe mit un disque sur sa chaîne, et Shana reconnut la voix étonnante de Simone.

— Tu te sens très proche d'elle, n'est-ce pas ? demanda Shana.

— Oui, répliqua-t-il. Elle a toujours été comme une sœur pour moi.

Légèrement agacée par la nuance de respect que comportait son ton, elle demanda :

— Tu ne lui trouves pas un caractère... un peu difficile ?

— Oui, répondit-il aussitôt. C'est inévitable avec les grands artistes...

— Et pourtant, tu ne supportes pas les sautes d'humeur de Nicholas, insista-t-elle.

— Je ne sais pas comment te l'expliquer, Shana, dit Philippe, en cherchant ses mots. Ma cousine a droit à une certaine indulgence parce qu'elle est une remarquable cantatrice. Nicholas est professeur. C'est différent. Il aime avoir des gens sous sa coupe.

— Et Simone ?

— Ce n'est pas la même chose.

— Nicholas était lui aussi un remarquable interprète, fit-elle remarquer, avec virulence. Tu ne l'as donc jamais entendu jouer ?

— Si, quand il donnait encore des concerts. Il était excellent, naturellement...

« Décidément, Philippe ne voulait rien savoir ! Il valait mieux changer de sujet », pensa Shana.

— J'ai l'impression que tes articles seront extraordinairement convaincants ! continua-t-elle, avec un large sourire.

— Tu le penses vraiment ? demanda-t-il, avec un regard sérieux.

— Sincèrement, oui.

— Je dois servir le repas, s'écria-t-il. Je n'ai pas vu passer l'heure !

Il se précipita dans la cuisine : le compliment de Shana l'avait ravi.

— Est-ce que je peux t'aider ? proposa Shana.

— Non, je peux m'en sortir tout seul. Je suis... comment vous dites ça en anglais ?... un homme « délivré » ?

— Un homme libéré ! corrigea-t-elle, en riant.

— A table ! fit-il, après avoir mis le couvert avec soin. Le cuisinier a achevé son chef-d'œuvre !

Philippe avait préparé un « poulet basquaise » qui sentait délicieusement bon. Il servit le vin et présenta une chaise à Shana. Ils savourèrent le mets exquis, et leur conversation reprit son animation tandis qu'ils buvaient un café.

— Je n'ai pas eu le temps de préparer de dessert, s'excusa-t-il.

— Je suis repue, dit-elle, pour le rassurer.

— Il faut partir maintenant, si nous voulons devancer les « fans » de Simone. Elle nous attend, tu sais.

— Je suis prête, répondit Shana.

Philippe se contenta d'entasser la vaisselle dans l'évier exigu de la cuisine, et c'est à contrecœur que Shana abandonna le confort chaleureux du petit appartement de Philippe pour affronter le frimas des nuits parisiennes. Il fallait bien avouer qu'elle n'avait nulle envie de rencontrer Simone, mais elle ne voulait pas froisser la susceptibilité de Philippe.

Aussitôt arrivée dans la maison de Simone, Shana ressentit un malaise. Situé sur un boulevard d'un des quartiers les plus résidentiels de Paris, l'immeuble tout entier clamait luxe et richesse. Shana s'attendait presque à ce que la porte fût ouverte par un homme en livrée, avec des gestes cérémonieux. Mais ce fut une jeune servante qui, souriant timidement à Philippe, vint les accueillir et les conduisit dans un salon élégant.

Shana avait l'étrange sentiment de pénétrer non pas dans l'appartement d'une étoile de l'Opéra, mais dans la résidence d'un membre de la famille royale ! Le mobilier alliait les pièces antiques les plus riches et des meubles au « design » moderne ; les murs étaient couverts de tableaux de maître. Le parquet vernissé brillait comme un miroir, ainsi que les meubles et les marbres. Et pourtant rien n'était clinquant. Un goût raffiné y régnait simplement.

— Viens, Shana, dit Philippe. Simone doit nous attendre au premier étage.

Impressionnée, Shana le suivit dans l'escalier.

Philippe la conduisit dans un vaste salon, où Simone avait coutume de réunir ses amis les plus intimes. Les fauteuils étaient tapissés de vert et de jaune et avaient été déposés en demi-cercle. Un bar en acajou occupait tout un pan de mur avec des étagères couvertes de verres de cristal.

Dans une lumière tamisée, drapée dans une robe longue et blanche, Simone était à demi allongée sur un sofa. Son visage, bien qu'il fût sans le moindre maquillage, était ravissant ; d'une beauté naturelle qu'aucun artifice ne pouvait remplacer... Shana se sentait misérable : comment, avec sa simplicité, aurait-elle pu rivaliser avec une telle grâce ?

— Prenez place, les enfants, dit Simone, en souriant.

Elle se leva dans un mouvement majestueux, et d'une démarche légère se dirigea vers le bar.

— Qu'est-ce que je vous sers ? demanda-t-elle.

— Un verre de Sherry, s'il te plaît, répondit Philippe. Et toi, Shana ?

— La même chose...

— Comment s'est passée la représentation, Simone ? demanda Philippe.

— Très bien dans l'ensemble, répondit Simone, en apportant les verres. Mais le ténor a fait une mauvaise entrée, pendant une de mes scènes préférées. (Elle soupira d'un air théâtral.) Enfin ! vous savez comment sont les ténors...

— Bien sûr, dit Philippe, d'un air entendu.

— Et qu'avez-vous fait aujourd'hui ? demanda-t-elle, avec un intérêt courtois.

— Nous avons visité le Louvre, Notre-Dame et mille autres endroits, répondit Philippe. Nous sommes rentrés et nous avons savouré le dîner que j'avais préparé... et nous voilà !

Pendant que Philippe et sa cousine parlaient

ensemble, Shana, se sentant exclue, laissa vagabonder son esprit.

— Est-ce que Paris vous plaît, Shana ? demanda Simone poliment.

Shana sursauta, confuse d'être surprise en train de rêver.

— Oh oui ! répliqua-t-elle.

— Nicholas me dit que vous faites des progrès remarquables. J'ai hâte de vous écouter pendant l'audition de son cours supérieur...

« Quel cours supérieur ? » se demanda Shana. Mais son amour-propre la fit se taire. Elle garda les yeux baissés sur son verre.

— Est-ce que vous appréciez l'enseignement de notre « maestro » ?

— Il est très... enrichissant, répliqua Shana, avec précaution. Bien sûr, je n'ai eu que deux leçons.

— Nicholas est un homme merveilleux, dit Simone, l'air songeur, en agitant mollement son verre.

Shana, qui trouvait la liqueur trop sirupeuse, avait repoussé le verre et considérait avec agacement les minauderies de Simone.

— Mais il est difficile à comprendre, comme tous les grands artistes. Depuis que nous... sommes ensemble, je ne l'ai jamais trouvé ennuyeux. Il ne vous racontera jamais sa vie, j'en suis certaine, alors je vais vous la conter.

Shana était ébahie que Simone eût cette intention, et instinctivement, elle aurait voulu lui imposer silence, pour respecter la vie privée de Nicholas, mais avant qu'elle n'eût pu trouver la manière la plus délicate de le faire, Simone s'était mise à parler.

— Nicholas était encore un enfant quand les Russes ont envahi la Hongrie. Son père, lui-même un émigré russe, veuf fortuné, champion renommé des libertés, fut forcé de quitter sa terre d'adoption. Il a pris son fils avec lui, et ils sont venus à Paris.

» Ils n'étaient là que depuis quelques mois, quand son père est mort soudain. Heureusement, il avait réussi à faire sortir la plus grande partie de sa fortune de Hongrie. Des amis à eux ont pris soin de Nicholas et l'ont élevé comme leur propre fils. Très tôt, son don musical s'est manifesté, et on l'a envoyé étudier en Angleterre. Il a grandi en solitaire, très fermé sur lui-même ; orphelin, apatride, son seul monde était celui de la musique... Il devait lutter pour s'imposer ; ce n'est pas une chose aisée, Shana. Nous le savons tous... Le désespoir devient notre compagnon le plus fidèle...

Elle poussa un soupir dramatique et poursuivit :

— Nicholas est alors revenu en France : c'était devenu son pays. Il ne tarda pas à faire ses débuts en public. Il commençait une brillante carrière : tout le monde répétait le nom du nouveau virtuose... Trois ans plus tard, il se trouvait dans le train qui le menait en Italie. Il y a eu une erreur dans la signalisation : son train, au sortir d'un tunnel, est entré en collision avec un autre train qui venait sur la même voie. Ce fut une épouvantable catastrophe... Il s'en est sorti miraculeusement, mais une contusion à la tête a ébranlé son système nerveux. Nicholas a souffert d'un manque de coordination dans ses mouvements. Il lui était désormais interdit de reparaître sur une scène. Je n'ai jamais vu un homme se fermer au monde extérieur comme il l'a fait en sortant de l'hôpital. Il refusait de manger, de parler et il passait ses journées à la fenêtre... Parfois il se remettait au piano et il essayait de jouer. Mais c'était terrible pour lui : il ne retrouvait plus sa technique, sa virtuosité... Il était comme un condamné attendant l'exécution. Si seulement il avait pleuré, s'il avait eu des colères, s'il avait exprimé son désespoir, il aurait peut-être fini par se libérer lui-même et aurait guéri... Mais il n'arrivait pas à admettre que tout était fini pour lui : la gloire, les récitals, les tournées, l'extraordinaire euphorie d'atteindre les autres par la sensibilité musicale... C'est, de sa part, une admirable marque de courage que de dédier tout ce qui reste de son génie à de jeunes talents.

Simone essuya une larme.

Durant le pénible silence qui suivit, Shana garda les yeux baissés, craignant de trahir le trouble dans lequel ces révélations la plongeaient. Elle commençait à comprendre tout ce qui l'avait déconcertée dans l'attitude de Nicholas, jusqu'alors. Sachant pertinemment qu'il refuserait toute manifestation de pitié, elle désirait secrètement lui venir en aide.

— Tous ses amis ont voulu le secourir, continua Simone. Peut-être cela vous fera-t-il plaisir d'apprendre, Shana, que quand Nicholas était convalescent, ses amis se sont cotisés pour fonder une bourse qui pourra aider les élèves talentueux désirant étudier avec lui. Je crois que vous profitez précisément de cette bourse.

Il y avait dans son ton une note de condescendance.

Shana hocha la tête.

— En effet, dit-elle avec fierté.

— Mais à la fin, Simone, tu as été la seule à vraiment compter, insista Philippe.

— Nicholas a toujours eu une relation privilégiée avec moi, admit doucement Simone.

— Quel homme ne t'adorerait pas, Simone ? dit Philippe.

Simone leva les sourcils, mais sa voix reprit un ton détaché.

— Shana, vous ne finissez pas votre verre ?

— J'avoue ne plus rien pouvoir prendre après le festin préparé par Philippe, dit-elle pour s'excuser.

— Raconte à Shana comment tu as rencontré Nicholas, intervint Philippe.

« S'il vous plaît, ça suffit ! » supplia intérieurement Shana, sans cesser cependant de fixer Simone d'un regard insondable.

— C'était lors de mes débuts à la Scala de Milan, continua Simone, le visage lumineux. J'étais terrifiée. Mais je suis tout de même parvenue à chanter mon rôle ! Et à la fin de la représentation, mes amis sont venus dans ma loge, avec du champagne et des fleurs... J'étais tellement heureuse, tellement excitée, tellement joyeuse ! Vous connaissez ce sentiment, Shana... Quand la représentation est terminée et que le public vous a acceptée... et que les applaudissements crépitent dans une salle, scandés par votre nom !...

Involontairement, Shana hocha la tête. Elle savait exactement de quoi Simone parlait.

— Soudain un homme distingué est entré dans ma loge et a insisté pour que je dîne avec un groupe de ses amis... Il m'a arrachée à tout le monde et m'a pratiquement entraînée de force dans un petit restaurant.

Nous avons bavardé durant toute la nuit. Quand je suis rentrée à l'hôtel, ma mère était folle d'inquiétude...

Simone éclata de rire. Shana pouvait imaginer Nicholas, ensorcelé par les débuts éclatants, la beauté, l'intelligence de Simone. Ils étaient faits l'un pour l'autre, cela ne faisait aucun doute... Mais Shana en avait assez entendu.

Des voix et des bruits de pas annoncèrent l'arrivée de quelques amis de Simone. Philippe demanda si elle désirait leur départ.

— Vous semblez fatiguée, ma petite, dit-elle en se tournant vers Shana. Je vous fais vous coucher à des heures impossibles !

— Ne craignez rien. Je n'ai pas de maman qui m'attend à la maison, lança Shana. J'ai passé une longue journée, mais merveilleuse, en compagnie de Philippe. Mais je pense qu'il est temps de rentrer, maintenant.

Quand Simone eut présenté ses autres invités, ils s'excusèrent et s'éclipsèrent. Elle les accompagna jusqu'à la porte du salon.

— Merci, Philippe, d'avoir amené Shana jusqu'ici, dit Simone. Cela m'a fait vraiment plaisir. J'espère vous revoir bientôt. Travaillez bien, Shana. Je n'ai jamais entendu Nicholas parler d'un élève avec autant d'enthousiasme...

Shana était gênée comme une petite fille que tout le monde regarde.

Simone observait Shana en souriant, tandis qu'elle ouvrait ses bras pour embrasser son cousin. Ils échangèrent des baisers affectueux sur les joues. Simone referma la porte derrière eux.

— Je crois qu'on remettra, à plus tard, notre pro-menade à Montparnasse, qu'en penses-tu ? demanda Philippe tandis qu'ils se dirigeaient vers la bouche de métro.

Il paraissait déçu, mais Shana fut inflexible :

— Une autre fois, Philippe. Mais, ajouta-t-elle pour rendre son refus moins brutal, est-ce que tu accepteras de venir prendre une tasse de café chez moi ?

— Je dois avouer que je n'ai pas du tout envie de terminer aussi vite la soirée. Mais il fait tellement froid pour traîner dans les rues qu'une tasse de café serait la bienvenue !

Ils se retrouvèrent sur la rive gauche et marchèrent main dans la main jusqu'à l'immeuble de Shana. Elle considérait désormais son minuscule studio comme son véritable foyer. Elle n'alluma qu'une lampe : l'éclairage indirect donnait plus de chaleur à la pièce et apporta deux tasses de café.

— Finalement, je suis désolé, dit Philippe, que tu n'aies pas eu envie de rester pour faire connaissance avec les amis de Simone. Ils sont assez curieux. Ils viennent chaque samedi et bavardent jusqu'à l'aube. Une autre fois peut-être ?...

— Je trouve tes amis tout aussi intéressants, répliqua Shana, comme sur la défensive.

Pourquoi cela l'agaçait-elle autant qu'il admirât, presque vénérât sa cousine ? Après tout, il était à peu près du même avis que la moitié de la population de Paris.

— Tu n'étais pas à l'aise, fit-il remarquer. Tu n'aimes pas Simone ?

— Quelle idée ? Je ne la connais même pas. Je

pense que c'est une cantatrice hors pair et une femme très belle. Je l'ai déjà dit... Si nous devons nous quereller, j'aimerais autant que ce fût pour un motif plus important...

Philippe la considéra avec étonnement. Shana semblait si menue sur le sofa, ses grands yeux violets écarquillés, sa bouche crispée. Il s'approcha d'elle et doucement, d'un geste naturel, l'embrassa légèrement sur les lèvres.

Shana se raidit de surprise. Puis elle se dégagea en repoussant une mèche de ses cheveux. Philippe s'écarta quelque peu surpris par la froideur de la jeune fille. Que fallait-il comprendre ? Il ne le savait, hélas ! que trop bien...

Il y eut entre eux un silence gêné : chacun laissait à l'autre le soin de faire le premier pas.

— Philippe, commença-t-elle, qu'attends-tu de l'avenir ?

Elle se serait mise à parler du soleil et de la pluie, qu'il n'aurait pas été davantage surpris.

— Eh bien, fit-il après une longue hésitation, pour répondre à ta question, mon but, dans la vie, c'est de mettre à jour la vérité, même s'il doit m'en coûter, pour que les hommes usent de leur liberté... Même à l'université, il me semble que l'inertie, le manque d'initiative, de sens des responsabilités ternissent l'avenir de tant d'êtres. J'ai envie de faire tout mon possible pour remédier à cet état de fait.

— « Mieux vaut allumer une chandelle que de se plaindre dans l'obscurité », énonça-t-elle.

— Qui a dit ça ?

— Je ne sais pas. C'est un vieux dicton en Amérique. Il te plaît ?

— Oui, beaucoup.

— Et toi, Shana, que veux-tu faire de ta vie ?

— Je veux émouvoir les gens, mais d'une manière différente, je suppose. Je serai honnête avec toi. Je ressens la musique comme une bête en cage, à l'intérieur de moi-même. Et j'ai besoin de la délivrer. C'est la vérité. S'il y avait quelque chose d'autre que je puisse faire, je le ferais.

Elle se tut un moment.

— Je n'ai jamais parlé ainsi à personne.

Il releva une mèche dorée sur le front de Shana.

— Je comprends et je suis heureux que tu te confies à moi. Oh ! il se fait terriblement tard.

Mais il ne fit aucun mouvement. Il se rapprocha simplement de Shana, lui effleura la joue de ses lèvres.

— Je dois m'en aller. Merci pour cette journée merveilleuse.

— Merci à toi, Philippe.

Elle le raccompagna jusqu'à la porte. Il la regarda, d'un air égaré, comme s'il se perdait dans les nuances violettes de ses yeux.

— On se revoit bientôt, n'est-ce pas ?

— Volontiers.

— Bonne nuit, Shana, murmura-t-il.

— Bonne nuit, Philippe.

Elle ferma doucement la porte et resta appuyée contre le battant. Mais Philippe attendit, pour descendre l'escalier, de l'entendre tirer le verrou.

Shana se retrouvait enfin seule. Une multitude d'images et de pensées se bousculaient dans sa tête. Mais elle était trop fatiguée pour y voir clair. Une seule chose restait très vive dans sa mémoire : « Pourquoi, au moment même où Philippe l'avait embrassée avec passion, n'avait-elle eu à l'esprit que les yeux gris et étincelants de Nicholas ? »

CHAPITRE IV

Shana s'assit au piano de la sacristie de Saint-Christophe et entendit le sacristain refermer les grandes portes pour la nuit. Elle regardait fixement les touches jaunies du clavier... Comme le temps s'était écoulé rapidement depuis son arrivée !

Ce jour-là, aux Etats-Unis, on célébrait la fête de *Thanksgiving*. Shana se représentait parfaitement la scène familiale, son frère et sa sœur se chamaillant gentiment, ses parents, oncles et tantes attablés devant un festin...

Comme c'était étrange ! tout ce monde d'Akron lui semblait désormais si lointain ! Mais elle avait tout de même un petit pincement au cœur. Elle poussa un léger soupir tandis que ces images disparaissaient...

Sa mère lui avait écrit régulièrement, et Shana n'avait pas manqué de répondre, en décrivant son appartement, en parlant de ses amis Philippe, Simone, Nicholas et, naturellement, en leur contant ses promenades à la découverte de Paris. Elle sourit en se rappelant les mises en garde de sa mère contre la réputation charmeuse des hommes, en France. « Jusqu'à présent, Philippe s'était conduit avec la plus grande décence... » pensa-t-elle.

Les jours passaient vite, l'hiver approchait. Les arbres perdaient leurs feuilles dorées et pourpres. Leurs branches dénudées et sèches se dressaient tristement sur un fond de ciel gris. Dans les jardins publics, les pelouses perdaient leur brillant, et les fleurs étaient fanées.

Shana commençait à bien connaître la ville, grâce à Philippe. Chaque samedi, ils avaient pris l'habitude de visiter Paris ensemble. Leur amitié s'était approfondie : leurs différences les enrichissaient mutuellement. Elle appréciait véritablement la compagnie de Philippe. Ses attentions la touchaient sincèrement. Allait-elle tomber amoureuse de lui ? Cette question la tourmentait, mais elle ne trouvait pas de réponse.

Elle faisait des progrès incontestables sous la direction de Nicholas. Le concours de la classe supérieure, dont Simone avait parlé, approchait, et Shana se sentait prête.

Elle voyait souvent Nicholas hocher la tête d'un air approbateur, quand elle venait de terminer un morceau particulièrement difficile. Mais il était exceptionnel qu'il la laissât continuer jusqu'au bout sans intervenir. La plupart du temps, il l'interrompait au bout de quelques mesures. Quand il était en complet désaccord avec son interprétation, il se taisait et se contentait de la considérer avec le plus parfait mépris : elle avait l'impression, alors, d'avoir son âme à nu devant lui !

Mais elle connaissait aussi des moments de satisfaction absolue en sa compagnie : Nicholas semblait alors oublier sa détresse, et le plaisir de la musique les entraînait l'un et l'autre. C'est alors qu'elle se sentait parfaitement heureuse, plus que n'importe quelle femme n'eût pu l'être en compagnie d'un homme qui avait la même passion qu'elle : la musique !

Shana, qui redoutait les sautes d'humeur du maître, était toujours sur les nerfs quand elle voyait approcher l'heure de ses séances de piano... Elle se concentrait, dans l'espoir de progresser : cela seul lui importait. Elle guettait le moindre sourire de la part de Nicholas, le moindre signe d'approbation. Elle vivait dans la terreur de lui déplaire !

Un jeudi, alors que la lumière du soleil réchauffait encore Paris et que la leçon de Shana s'était particulièrement bien déroulée, Nicholas lui demanda :

— Est-ce que vous êtes libre demain après-midi ?

Elle était assise au piano et elle le considéra avec stupéfaction.

— Je comptais simplement travailler à l'orgue de l'église, dit-elle. Pourquoi ?

— Je pensais que vous pourriez revenir ici. J'ai quelques disques que j'aimerais vous faire écouter.

Il avait un ton de méfiance, et Shana fut absolument désarmée par l'espoir qu'elle lut dans son regard.

— Ce serait un très grand plaisir pour moi. A quelle heure ?

— Disons vers quatre heures. Je suis vraiment très content que vous...

Le compliment encourageait Shana.

— Merci beaucoup, coupa-t-elle, rouge de confusion.

— Vous n'avez pas à me remercier, fit-il un peu brusquement. C'est à vous-même que vous devez vos progrès. Mais il vous reste encore beaucoup à faire, ajouta-t-il, en signe d'avertissement. Ne vous emballez pas trop vite !

— Ce n'est pas mon intention, protesta Shana, légèrement vexée par ces derniers mots.

Elle ramassa ses partitions et se leva.

— Bonne journée, dit-elle. A demain, donc...

Il la raccompagna sans un mot : elle se demanda s'il ne regrettait pas déjà son invitation. Mais ce sentiment de gêne se dissipa dès qu'elle se retrouva au milieu des passants. Elle était emportée par une sensation de bien-être. Elle se sentait pleine d'énergie, prête à affronter toutes les difficultés...

Nicholas avait donc exprimé le désir de la voir demain ! Il ne pouvait plus le nier : il avait besoin de sa compagnie ! Elle avait hâte d'être au lendemain !

Ce vendredi-là, il faisait un temps affreux : le ciel était chargé de nuages, et il tombait une pluie intermittante. Shana se précipita à la sacristie très tôt, afin de ne pas modifier son rythme de travail. Elle était excitée à la perspective de l'après-midi et elle dut faire appel à toute sa volonté pour se concentrer.

Elle s'était habillée avec soin, d'un pantalon bleu marine à pinces, réchauffé d'un chemisier blanc à manches longues, une veste bleue et blanche. Elle avait laissé ses cheveux blonds onduler sur son dos.

Après une traversée de Paris assez désagréable, sous la pluie et dans le froid de l'hiver qui approchait, Shana était heureuse de se trouver chez Nicholas. Mais elle frissonnait : était-ce l'humidité qui traversait sa veste ou bien l'inquiétude des heures à venir ?

Mimi, comme d'habitude, la conduisit dans la bibliothèque. Shana attendit assez longtemps, de plus en plus anxieuse. Elle entendit enfin des pas s'approcher : elle soupira de soulagement. Elle commençait à craindre d'avoir mal compris et de se montrer importune.

Mais Nicholas lui souriait. Ses yeux noirs étincelaient de plaisir. Elle ne put réprimer un frisson en l'apercevant.

— Vous êtes ravissante ! murmura-t-il. Mais vous avez froid ! Mimi ! Café et cognac, tout de suite !

Il s'approcha doucement de Shana.

— Je suis si heureux que vous ayez accepté mon invitation, Shana ! dit-il. Par un tel temps, j'avoue que je suis toujours reconnaissant qu'on vienne me voir !

Il contourna le canapé pour aller voir le Sacré-Cœur par la fenêtre.

— Venez voir, ajouta-t-il. Regardez comme Paris est triste sous la pluie. Quelle mélancolie !

Elle s'approcha de lui, troublée par cette soudaine intimité. Elle regarda par la fenêtre. Les arbres lançaient leurs branches nues comme des bras décharnés vers un ciel de glace. Les trottoirs et la chaussée brillaient sous la pluie. Des passants, protégés par des grands parapluies noirs, se pressaient sous la bruine. La fleuriste était réfugiée sous un auvent, et un taxi ralentit dans l'attente d'un client. Cette nostalgie, cette tranquillité étaient typiquement françaises pour Shana.

— Pourquoi dites-vous « quelle mélancolie ! » ? demanda Shana.

Il ne lui répondit pas tout de suite, mais eut un petit sourire désabusé.

— Parce que quand on a atteint un sommet et qu'on se retrouve du jour au lendemain au fond de l'abîme, il est impossible d'avoir un autre sentiment. Ah ! voilà Mimi. On va... se réchauffer un peu ! Servez-vous.

— Où dois-je servir le cognac ? demanda Shana, étonnée de ne pas apercevoir de verre à liqueur sur le plateau.

— Dans le café ! Mais je vais vous venir en aide !

Il se versa une bonne rasade de cognac, en jetant un coup d'œil à son invitée.

— Avez-vous déjà bu du cognac ? demanda-t-il.

— Jamais.

— Ah ! je vois.

Il se contenta de verser quelques gouttes dans la tasse de Shana.

— A la musique ! s'écria-t-il en levant sa tasse solennellement.

— Au maestro ! répliqua-t-elle, les yeux étincelant de plaisir.

Elle avala doucement son café. Le cognac lui réchauffa la poitrine, et elle s'efforça de ne pas tousser pour ne pas se ridiculiser.

— Et maintenant, un peu de musique.

Nicholas se dirigea vers la chaîne. Les disques étaient préparés. Il alluma l'amplificateur. Dès les premières notes de piano, Shana fut propulsée dans un autre monde. Il lui suffit de quelques secondes pour reconnaître l'interprétation de Nicholas. Elle le considéra avec stupéfaction.

Elle lisait sur son visage une expression mêlée de tristesse et d'exaltation. L'émotion de Shana était telle qu'elle eut envie d'avancer la main pour presser celle de Nicholas, mais elle se retint. Il n'accepterait pas cette marque de sympathie... Shana refoula ses larmes et détourna le regard, dans la crainte de trahir son sentiment.

En révélant un aspect caché de sa nature, Nicholas avait révélé à Shana à quel point elle l'admirait, à quel point elle était envoûtée par son extraordinaire personnalité... Quand le disque s'arrêta, Shana dut sortir de son rêve...

— Eh bien ? demanda-t-il.

— C'est merveilleux ! répliqua-t-elle, à mi-voix. Quelle interprétation stupéfiante ! J'espère un jour pouvoir comprendre la musique aussi profondément... l'exprimer avec autant de puissance...

— Vous savez qui était l'interprète, n'est-ce pas ?

— Oui. Vous !

— Vous me surprenez, Shana, dit-il.

— Pourquoi ?

— Parce que vous vous êtes contentée d'écouter, sans effusion et sans exclamation...

— Les Américains ne sont pas tous expansifs, vous savez ! rétorqua-t-elle avec un sourire. De même que les Italiens ne suivent pas toutes les femmes dans la rue...

— Et les Hongrois ?

— Ils ne mangent pas tous du « goulash » !

Ils éclatèrent de rire : la gravité de l'instant était ainsi dissipée.

La nuit était tombée sur la ville.

— Je dois m'en aller, maintenant, dit Shana, à regret.

— Restez dîner, demanda Nicholas.

— Je ne peux pas. J'ai un rendez-vous ce soir.

— Avec Philippe ?

— Non, avec mon piano à la sacristie de l'église Saint-Christophe, dit Shana qui n'osait croire à cette manifestation inattendue de jalousie. J'ai un professeur extraordinaire, mais très exigeant, ajouta-t-elle, comme si elle parlait d'un autre homme. Il attend beaucoup de moi. Si je ne m'entraîne pas assez, il s'en rendra compte... J'aimerais beaucoup rester, mais je ne peux pas...

Nicholas ne put s'empêcher de sourire, hésitant entre le désir de la garder à dîner et la conscience qu'elle n'avait pas tort...

— Très bien, mais à condition de me promettre que vous reviendrez...

— Chaque mardi et chaque jeudi, répondit-elle sans hésiter. Merci beaucoup. Cet après-midi a une grande signification pour moi, ajouta-t-elle en se dirigeant vers le vestibule.

Mimi attendait, sa veste à la main.

— Laissez-moi, au moins, vous appeler un taxi, demanda Nicholas.

Shana déclina son offre :

— J'ai l'habitude du métro, maintenant. Mais merci, tout de même. Bonne nuit.

Elle lui lança un dernier regard, plein d'intensité et lui sourit de manière éclatante. Mimi les regarda l'un et l'autre, sidérée.

En se dirigeant vers le métro, Shana se demanda si Nicholas l'inviterait à nouveau. Il y avait eu entre eux une étrange communication. Mais ni l'un ni l'autre ne voudraient le reconnaître. Cette entente secrète laissait cependant des séquelles en elle... Jusqu'où tout cela pourrait bien les conduire ? Nulle part, probablement... Sinon à une séparation douloureuse...

Elle se demanda, plus tard, si tous les élèves de Nicholas avaient reçu la même invitation... Du reste, excepté Heidi, elle n'avait jamais aperçu d'autres élèves...

Les jours, les semaines passèrent. Un jeudi, après une leçon, Shana se dit qu'elle aurait dû tenir un journal dès le début de son séjour en France... Car, plus tard, elle ne retrouverait plus cette sensation mélancolique de l'automne parisien, la frustration d'une leçon qui s'est mal passée, les heures agréables et cordiales passées en compagnie de Philippe, les affrontements avec Nicholas... Mais elle ne se sentait pas capable de prendre de la distance. Elle vivait trop intensément cette expérience pour en rédiger un compte rendu objectif.

La seule inquiétude de ces jours enrichissants était apportée par l'approche de Noël. Shana devait, le lendemain, faire des courses en compagnie de Philippe. Elle avait réussi à économiser un peu d'argent pour offrir quelques cadeaux à sa famille et elle avait expédié les paquets dans l'Ohio, à l'avance, pour qu'ils pussent arriver à temps. Mais elle devait également choisir des présents pour les personnes qui comptaient désormais dans sa vie, à Paris.

L'hiver était maintenant installé, et Shana frissonnait dans la petite église fraîche et humide. Elle était épuisée. Elle avait travaillé plusieurs heures au clavier, et elle savait qu'elle devrait s'y remettre. « Ce n'est que quand tu seras capable de jouer ce prélude de Bach sans une seule erreur, que tu pourras songer à rentrer à la maison ! » se dit-elle sévèrement.

Elle avait bien envie de retrouver le confort de son appartement, avec une bonne tasse de thé et un livre.

Mais elle s'obstina : il n'était pas encore temps d'y penser ! Plus tard ! Il fallait avant tout travailler !

Ce vendredi matin, il faisait frais, mais beau. Durant la nuit, il avait neigé. Un blanc manteau couvrait tout Paris. Une tasse fumante dans la main, Shana, encore en peignoir, s'accouda à la fenêtre et contempla le spectacle feutré qui s'offrait à elle.

Mais, en constatant l'heure, elle se dit que Philippe devait déjà être en route pour venir la prendre, et elle se hâta d'enfiler son pantalon bleu marine et un chandail assorti. Elle noua un ruban dans ses cheveux et bientôt on frappait à la porte.

— J'ai l'impression qu'une tasse de café ne te fera pas de mal ! dit-elle en riant à Philippe, emmitouflé dans une vieille canadienne, les mains gantées dans des moufles de laine. Tu as le nez tout rose ! Tu devrais porter une écharpe !

— C'est ma grand-mère qui m'a tricoté ma dernière écharpe quand j'avais douze ans... Je crois qu'il y a maintenant plus de trous que de mailles !

« Parfait ! pensa Shana, voilà un problème de cadeau résolu ! »

Il but son café sans s'asseoir, car il était pressé de se mêler à la foule joyeuse des acheteurs de Noël.

— Enfile ton manteau, Shana, fit-il. Il est temps d'y aller.

Elle passa un manteau de laine et un bonnet de ski.

— Drôle de chapeau ! fit remarquer Philippe.

— C'est mieux que pas de chapeau du tout ! protesta-t-elle. Au moins, je n'aurai pas les oreilles gelées !

Il s'amusa à lui rabaisser le bonnet sur les yeux.

— Voilà ! dit-il avec satisfaction. Maintenant, tu devras te fier à moi, si tu veux marcher dans la rue…

— Tu aimerais bien que je me fie toujours à toi, n'est-ce pas ? demanda-t-elle, malicieuse, en relevant légèrement le bonnet.

— Quelle idée ? J'ai une grande admiration pour ton indépendance ! C'est simplement ton obstination qui m'amuse…

— Oh ! c'est la même chose ! L'obscurantisme du Moyen Age est révolu, Philippe !

— Qu'en dirais-tu, si nous vivions à cette époque ?… La femme n'avait pas beaucoup de droits…

— Je serais riche, protesta Shana, et noble ! Tu serais mon chevalier servant… Tu passerais ton temps en tournois et en duels. Qu'en dis-tu ? railla-t-elle.

— J'aimerais me battre pour toi, Shana, fit-il soudain sérieux, en se retournant, tandis qu'ils descendaient l'escalier.

Shana fut touchée par ces paroles et ne parvint pas à trouver de repartie. Elle descendit à sa suite silencieusement.

— Le premier au métro a gagné ! lança-t-elle, en se précipitant sur le trottoir enneigé, à grandes enjambées.

Devant leur course effrénée, les passants s'arrêtèrent, stupéfiés.

Main dans la main, Philippe et Shana sautèrent de justesse dans l'avant-dernière voiture du métro, au moment où les portes se fermaient. Ils restèrent serrés l'un contre l'autre, balancés par le mouvement de la rame…

— Un jour, dit Philippe, nous prendrons le train pour Chartres ou pour Vienne...

— Pas pour la Côte d'Azur ? demanda-t-elle, les yeux brillants.

— Pas avant longtemps, rétorqua-t-il.

Quand ils revinrent à la surface, il y avait une foule serrée devant les vitrines des grands magasins.

Shana n'avait jamais vu une telle densité de population ! C'était une tout autre atmosphère que celle à laquelle elle avait été habituée dans les petits magasins d'Akron, dans l'Ohio !

Elle avait l'impression d'être dans une foire ! Elle était ravie par la gaieté, le mouvement, les cris joyeux, les bijoux, les parfums, les bagages de cuir, les vêtements élégants : quel luxe ! quel étalage ! Sous l'œil attentif des vendeurs, les acheteurs appréciaient, comparaient les objets librement.

Philippe fit des achats qui semblèrent bien somptueux pour ses maigres ressources.

Devant le regard étonné de Shana, il expliqua :

— Je peux bien me permettre cela une fois l'an !

La fièvre de la dépense l'avait saisie, elle aussi, et elle demanda à son ami des conseils pour un parfum qu'elle voulait offrir à sa mère.

Quand ils sortirent enfin du grand magasin, Philippe avait les bras chargés de paquets... Ils cherchèrent un restaurant qui servait encore à cette heure tardive. Ce n'est qu'après avoir commandé, que Philippe se rendit compte que Shana n'avait strictement rien acheté !

— Mais Shana, je croyais que c'était pour toi que nous allions dans un grand magasin ! Et c'est moi qui ai dépensé jusqu'à mon dernier centime...

— Mais je n'ai pas perdu mon temps, Philippe, tout ce que je voulais, pour aujourd'hui, c'est de trouver des idées. Est-ce que tu imagines que je vais acheter ton cadeau sous tes yeux ? Dans ma famille, les cadeaux sont des surprises...

La voix de Shana s'était soudain adoucie, et Philippe crut lire une certaine nostalgie dans les yeux de la jeune fille.

Il posa gentiment sa main sur le bras de Shana.

— Il faudra absolument que tu viennes chez mes parents pour la Noël. Simone sera là avec Nicholas. Tu te sentiras presque en famille !

Il voulut sourire, mais ses yeux gardaient une certaine gravité...

— Merci, murmura-t-elle. Je me demandais ce que je ferais ce jour-là...

— Tu ne pensais tout de même pas que nous allions te laisser toute seule dans ton appartement un tel jour !

Ils mangèrent avec appétit leur repas, heureux d'être ensemble.

— Ce n'est pas que cela me réjouisse, fit Philippe quand il eut terminé, mais je dois retrouver mes chers livres...

— Moi aussi, je dois aller faire mes exercices, admit Shana. C'est lundi que j'ai mon concours pour passer dans la classe supérieure.

— Eh bien, au travail !

Ils sortirent de la brasserie et rejoignirent le métro. Ils s'embrassèrent affectueusement, regrettant l'un et l'autre de ne pas pouvoir prolonger ce prometteur après-midi...

Après plusieurs heures passées au clavier du piano

de la sacristie, Shana dut renoncer : elle avait l'impression qu'elle ne progresserait plus et que ses efforts étaient infructueux. En quittant l'église, elle alla se promener sur les quais de la Seine où un froid glacé la transperça. Malgré l'hiver, les Parisiens continuaient à flâner le long des rives de leur cher fleuve...

Shana avait l'intention de trouver ses cadeaux dans les boutiques situées non loin de là, dans le quartier Saint-Germain. Elle trouva facilement l'écharpe qu'elle voulait offrir à Philippe, et acheta de la laine et un crochet, pour lui faire un bonnet de ski pareil au sien.

Malgré son appréhension, Shana n'eut pas de difficulté à trouver un présent pour Simone. Elle trouva, chez un bouquiniste, une charmante gravure de la Nativité, une représentation naïve et émouvante, signée par un artiste inconnu de Shana.

Et Nicholas ? Quel présent lui ferait plaisir ? le choix était délicat car elle ne connaissait pas ses goûts en dehors de sa passion pour la musique. Elle se décida pour un cadeau classique : un livre. Elle fureta dans les caisses des bouquinistes et découvrit soudain un vieux volume sous une pile de livres poussiéreux.

— Lequel voulez-vous ? demanda le bouquiniste moustachu, sur un ton agressif. Je vais vous l'attraper.

— Je peux le prendre moi-même, je vous remercie, répliqua-t-elle.

— Faites attention, alors ! fit-il, en s'attendant visiblement à ce que la pile s'écroulât.

Mais Shana fut assez adroite pour retirer le livre, sans déséquilibrer la pile. Elle regarda la tranche et découvrit, avec déception, qu'il s'agissait des

Rubaiyat du poète persan du XIIe siècle, Umar Khayyâm. « Oh non ! Elle n'allait tout de même pas lui offrir un art d'aimer ! » Elle reposa le livre, et quitta les berges pour flâner le long des vitrines des antiquaires du VIe arrondissement. Dans l'une d'elles se trouvaient quelques objets anciens parmi d'autres plus hétéroclites, notamment des œufs peints, en porcelaine.

Décidée tout à coup, Shana poussa le battant de la porte.

— J'aimerais voir cet œuf, dit-elle en montrant l'objet à la vendeuse.

Cette dernière saisit le bibelot et lui tendit délicatement.

L'œuf veiné de rose, d'or et de mauve, était magnifique. Shana fut immédiatement séduite et décida de l'acheter pour l'offrir à Nicholas.

Le prix était très élevé, et Shana hésita un instant avant de prendre une décision. Puis d'un mouvement de tête, elle balaya tous ses scrupules. Quelle importance si son budget était grevé par cet achat ! Elle montrerait, à son maître, l'étendue de son estime, et combien elle savait à quel point il appréciait la beauté...

Elle était ravie en rentrant dans sa chambre, et fatiguée de sa flânerie, dîna frugalement et se glissa bien vite dans ses draps.

Le lendemain, dimanche, Shana assista à la messe de Saint-Christophe et elle s'enferma, ensuite, dans la sacristie pour jouer du piano. Malgré le piètre état de l'instrument, elle arrivait à un résultat honorable et elle reprit courage. Elle avait recouvré une certaine confiance en elle et décida de s'accorder un après-midi de repos et de solitude, dans sa chambre, à muser.

Elle se plongea dans un roman, mais elle se sentait quelque peu énervée à l'idée de la journée qui l'attendait le lendemain, et dut, avec un soupir exaspéré, repousser son livre. Pour s'occuper l'esprit, elle écrivit une longue lettre à ses parents.

C'était une sensation étrange, que de redouter et de désirer en même temps la venue d'un jour. Elle se prépara un dîner léger au début de la soirée. Elle aurait aimé recevoir la visite amicale de Philippe, pour bavarder ou jouer aux cartes... Mais il était déjà tard. Lundi allait arriver... Elle était prête ! Du moins, l'espérait-elle...

Ce lundi-là, Shana rencontra les autres élèves de Nicholas. Heidi était assise dans un coin, tordant le bout de ses boucles blondes entre ses doigts nerveux. A côté d'elle se trouvait Danielle, raide et crispée, aux cheveux courts encadrant sa frimousse capricieuse. Puis venaient les trois garçons de la classe.

Les élèves s'assirent dans la salle de musique, avec les invités de l'audition, parmi lesquels Simone et Philippe. Tout le monde s'était habillé pour l'occasion. Les élèves manifestaient la plus grande anxiété, se torturant les mains et trépignant d'impatience...

Nicholas se tenait au fond de la pièce, les bras croisés sur la poitrine, avec une expression insondable. Il avait prévenu ses élèves que, durant le premier cours, il ne les interromprait pas. Mais il ne serait pas avare de critiques par la suite...

Shana savait qu'elle jouerait en dernier : elle atten-

dait impatiemment que ses camarades eussent terminé. Elle partageait leur fierté quand ils se débrouil-
laient bien, leur découragement quand ils faisaient des
fausses notes ou manquaient de confiance...

Ce fut enfin le tour de Shana... Elle ajusta la hauteur du tabouret, prit sa respiration, et se mit à jouer
comme si sa vie en dépendait. Après quelques
accords, elle avait oublié où elle se trouvait, le public
qui l'écoutait, et l'importance de cette audition. Le
monde entier était réduit à la musique de ce composi-
teur qu'elle interprétait et à cet instrument dont elle
jouait.

Quand elle plaqua le dernier accord, les applaudissements furent spontanés et sincères. Elle avait appris
depuis longtemps à faire la distinction entre ce genre
d'applaudissements et une simple manifestation de
politesse. Immédiatement, elle chercha Nicholas du
regard. Il hocha la tête imperceptiblement, comme
pour la saluer. Elle s'inclina légèrement et revint à sa
place. Elle aperçut des regards envieux parmi ses
camarades et elle chercha celui de Philippe.

Avec l'arrivée de Mimi, qui apportait une table
roulante chargée de champagne et de petits fours
salés, l'atmosphère se détendit, et les voix commencèrent à monter avec animation. Les invités rejoignaient
les élèves, et Philippe se dirigea vers Shana en devan-
çant Nicholas, et lui donna une accolade affectueuse.

— Tu as été sensationnelle ! s'écria-t-il.

— Merci, répondit-elle. Je pense que ça ne s'est
pas trop mal passé.

— Vous êtes trop modeste ! intervint Simone.
C'était beaucoup mieux que vous ne le dites... Mais,
ajouta-t-elle avec un sourire chaleureux, vous devez

m'excuser : je dois m'éclipser si je ne veux pas être en retard à l'Opéra. Philippe, tu viens ? demanda-t-elle à son cousin.

— J'ai un séminaire, à la faculté. Je suis obligé de partir, également... Je suis désolé...

En espérant ne pas trahir sa déception, Shana leur sourit.

— Je comprends... Merci d'être venus, tous les deux, dit-elle, en les regagnant s'éloigner.

Nicholas la rejoignit, une coupe de champagne dans chaque main.

— Tenez ! lui dit-il en lui offrant une coupe. Vous l'avez méritée !

Puis il ajouta d'une voix un peu sèche :

— Habituellement, Simone joue les maîtresses de maison, mais aujourd'hui ce n'est pas le cas. Est-ce que cela vous ennuierait de donner un coup de main à Mimi... ? continua-t-il d'un ton radouci.

Même quand il était d'une humeur massacrante, Nicholas restait un homme fascinant. Mais quand il décidait d'être charmant, il était absolument irrésistible ! Shana hocha la tête et commença à offrir des petits fours salés.

Enivrée par son succès autant que par le champagne, Shana fit connaissance avec les différents élèves et leurs amis. Le temps passa très vite, et peu à peu les invités s'en allèrent.

Shana était en train de ramasser les verres vides, quand Nicholas déclara :

— Laissez tout cela. Mimi aura le temps de s'en occuper plus tard. Venez donc vous asseoir, fit-il en souriant. Je vous appellerai un taxi. Alors, comment vous sentez-vous après cette brillante interprétation ?

— Quand je me suis mise au piano, avoua-t-elle, j'avais terriblement peur. Heidi et Paul avaient extraordinairement bien joué... Je voulais mieux faire qu'eux et satisfaire ma propre exigence.

— N'étiez-vous pas préoccupée de plaire à votre professeur ? demanda-t-il malicieusement.

— Pas vraiment. Je ne pensais qu'à la musique, répondit-elle avec franchise.

L'avait-elle blessé ? Elle le regarda fixement, l'expression du visage de Nicholas n'avait pas changé, sinon cet éclair ironique dans son regard. Non, il ne lui en voulait pas.

— Et après ? demanda-t-il.

— Une euphorie totale !

— Oui, dit-il, en hochant la tête. Je m'en souviens bien...

Sa voix était mélancolique, et une ombre passa sur son regard.

— Ce doit être très frustrant, hasarda Shana, de se contenter de regarder les autres jouer.

Il plissa les yeux comme s'il voulait le nier.

— En effet, ce n'est pas facile, répondit-il. Ce n'est que quand j'ai une élève de votre envergure à guider, à modeler, à diriger, que ma souffrance s'atténue... Il faut vous préparer dès maintenant à un récital, pour le début du printemps, reprit-il avec autorité. Nous discuterons du programme mardi. Je louerai une salle de concert pour vous. Ce seront vos débuts parisiens ! J'avais l'intention de faire jouer toute la classe : chacun de vous jouerait une vingtaine de minutes. Maintenant, j'ai changé d'avis. Les autres pourront jouer ensemble. Mais vous serez à part. Est-ce que l'idée vous plaît ?

Shana hocha la tête sans un mot. Elle était submergée par l'émotion. Elle ne comprenait pas très bien la confiance qu'il plaçait en elle.

— Oui. Merci, Nicholas, dit-elle, l'appelant par son prénom, pour la première fois.

— De quoi ? demanda-t-il, les yeux étincelants. De reconnaître l'évidence de votre talent ? Ne soyez pas ridicule ! Il va falloir travailler très dur, pour vous préparer, poursuivit-il. Vous allez vous lancer dans un nouveau répertoire. Oui. Ce sera très bien. Au fait, que projetez-vous pour les vacances ? Les autres élèves rentrent chez eux.

Shana avait écouté les paroles de Nicholas sans réaction tant elle était stupéfaite : un récital ! elle allait se produire dans une salle de concert ! Elle, la petite Américaine avait réussi à enthousiasmer un grand virtuose français !

— Ma question est peut-être indiscrète ?

La voix sèche de Nicholas fit revenir Shana à la réalité du moment.

— Excusez-moi. Je pensais au concert... Pour le repas de Noël, Philippe m'a invitée à le partager avec sa famille, et j'ai accepté.

— Parfait. Je serai là également. Simone insiste pour que je vienne, dit-il en se caressant la barbe. Mais pour la veille de Noël, que diriez-vous si nous allions à Versailles visiter le château et les jardins ? Vous n'y avez pas encore été ?

— Non...

— Nous dînerions là-bas, et nous reviendrions assister à la messe de minuit à Notre-Dame ou au Sacré-Cœur... Dans les deux églises, les offices sont merveilleux.

— Nicholas, c'est une idée formidable ! s'écria-t-elle, en se retenant de se jeter à son cou dans un élan de joie sincère.

Une journée entière, seule avec Nicholas ! C'était le meilleur moyen de balayer toute nostalgie familiale...

— Eh bien, c'est décidé, répliqua-t-il, visiblement satisfait. Je ne suis pas allé à Versailles depuis des siècles ! Le parc sera bien sûr un peu nu en hiver, mais le château est somptueux !

Il semblait sur le point d'ajouter quelque chose. Mais il se tut, car Mimi, tout ensommeillée dans une veste d'intérieur, entra dans la salle de musique.

— Monsieur Philippe est revenu, dit-elle, pour raccompagner mademoiselle chez elle.

— Mais ce n'était pas du tout nécessaire, s'emporta Nicholas, manifestement agacé. Eh bien, qu'il entre.

Mimi s'effaça pour céder le passage à Philippe, rouge de froid.

— J'ai pensé que tu aurais peut-être besoin d'une escorte, dit-il en souriant à Shana.

— C'est très aimable à toi, Philippe. Bonne nuit, monsieur Rubinsky, ajouta-t-elle.

— Attention Shana, n'oubliez pas le piano !

— Cette recommandation est superflue, monsieur Rubinsky, rétorqua-t-elle, légèrement vexée par son allusion.

— Le taxi nous attend en bas, intervint Philippe, voulant couper court à cette conversation par trop cinglante.

Shana suivit Philippe dans le couloir.

— Je suis passé il y a une demi-heure chez toi en

sortant de mon séminaire, et tu n'étais pas encore rentrée, dit Philippe, sur un ton de reproche. Je m'inquiétais !

— Tu te doutais bien qu'il y aurait une petite réunion amicale après l'audition, protesta Shana. Il n'y avait vraiment aucune raison de s'inquiéter !

Elle ne semblait pas le convaincre.

— Et puis Nicholas m'aurait appelé un taxi...

— Nicholas ! Nicholas !

— Mais, Philippe, tu es en colère ! Ou bien jaloux ! ajouta Shana malicieusement. Il n'y a vraiment pas de quoi ! Moi, amoureuse de mon professeur de musique !

Ces paroles lui semblaient à elle-même abolument grotesques, et elle éclata de rire.

Il savait qu'elle le taquinait, mais il préféra ne pas lui répondre. Ils gardèrent le silence dans le taxi qui les conduisait sur la rive gauche en passant par les Champs-Elysées.

— Bonne nuit, Philippe, dit Shana en prenant congé.

— Je viendrai te voir demain, répondit le jeune homme d'une voix neutre.

— Parfait ! fit-elle, en recouvrant son sourire. A bientôt, alors !

Puis elle disparut derrière la porte d'entrée de son immeuble.

Philippe étouffa un juron.

— Où est-ce que je vous conduis ? demanda le chauffeur.

— Je vais continuer à pied.

Il tendit un billet au chauffeur et sortit précipitamment du véhicule. L'air glacé de la nuit le transperça.

Le chauffeur haussa les épaules. « C'est ça ! pensa-t-il, marche, mon garçon, cela fera passer ta mauvaise humeur... Les amoureux ont toujours leurs petites crises. C'est aussi inévitable que la pluie en hiver... »

Le vent gémissait dans les rues... Shana repensait à la soirée qui venait de s'écouler. Elle savait qu'elle avait franchi une étape dans ses études musicales et dans ses relations avec Nicholas.

La colère de Philippe était compréhensible, mais enfantine. Il n'y avait aucun engagement entre eux. « Après tout, je suis libre de décider de mon avenir ! se dit-elle farouchement. Et Philippe, avec toute sa gentillesse, ne me forcera jamais à faire ce que je ne désire pas ! »

Elle avait déjà rencontré ce genre de garçons auparavant et elle se pensait capable de ne pas gâcher leur amitié avec ces petites querelles.

Ce qui la tracassait davantage, c'était cette expression de déplaisir qu'elle avait lue sur le visage de Nicholas, quand Mimi était venue annoncer l'arrivée de Philippe. Le plus stupéfiant était de se dire que Nicholas était, réciproquement, jaloux de Philippe !

CHAPITRE V

— Qu'est-ce qui te chagrine, Philippe ? demanda Simone. Tu es amoureux ?

Philippe la considéra, d'un air coupable. Ils étaient attablés dans un petit restaurant sur un quai de la Seine. Simone invitait souvent son cousin à déjeuner ; c'était l'occasion d'échanger leurs projets, leurs enthousiasmes, leurs désarrois... Et ce jour-là, Philippe n'avait pas desserré les dents et fixé son assiette d'un regard absent.

— Je n'ai jamais prétendu être amoureux de Shana ! protesta-t-il enfin.

— Mon cher ami, tu t'es trahi ! Tu m'as même donné le nom de la chère élue ! Que se passe-t-il ? Ah ! je crois comprendre : cette petite Américaine te dédaigne, n'est-ce pas ? Eh bien, oublie-la, Philippe ! Il y a d'autres jeunes filles, tu sais, qui apprécieraient ta compagnie et qui ne te traiteraient pas comme le fait cette prétentieuse !

— Je n'ai rien à redire à la manière dont Shana me traite. C'est une amie merveilleuse, rétorqua-t-il, par provocation.

— Mais tu n'éprouves pas seulement de l'amitié pour elle, n'est-ce pas ?

Philippe ne répondit pas. Simone eut un soupir d'agacement affectueux.

— Alors, est-ce que tu veux un conseil ou non ? demanda-t-elle, avec impatience.

Comme, de toute façon, il savait qu'elle parlerait, il préféra répliquer de bonne grâce :

— Oui. Peut-être qu'un point de vue féminin me sera très utile...

— Tout d'abord, Shana est étrangère. Donc, il ne faut pas exiger d'elle des réactions de Française. Deuxièmement, elle est plongée dans sa musique, et cela depuis des années. La musique est la chose qui compte le plus dans sa vie. Il faut te faire à cette idée. Un jour, elle se rendra compte que la vie compte aussi d'autres intérêts, et elle voudra fonder une famille, mais si tu tiens vraiment à elle, tu dois lui laisser le temps. D'ailleurs, tu es trop bon pour elle. Tu la conduis partout où elle veut, comme un petit chien. Tu dois aussi écouter tes propres désirs... Tu l'enfermes dans un cocon... Il est normal qu'elle étouffe ! Mon conseil est simplement le suivant : prouve à Shana que tu es aussi indépendant qu'elle. Ne la poursuis pas. C'est une vérité de la nature humaine que des expériences malheureuses m'ont enseignée : ce qui paraît inaccessible est beaucoup plus attirant que ce qu'on a à portée de la main.

— Simone, je suis un joueur très malhabile...

— Je ne te conseille pas de jouer, Philippe. Tu ne m'as donc pas écoutée ? Je te conseille simplement de mettre un peu de distance entre vous. Quand dois-tu la revoir ?

— Nous sommes invités chez Marcel, ce soir.

— Très bien. Essaie de suivre mon conseil : tu la laisses un peu seule avec les autres. Tu t'adresses aux autres filles, et en particulier aux plus jolies. Joue la légèreté, l'indifférence. Ce que l'on feint devient souvent réel. Ne le fais qu'une fois et attends ce qui se produira.

— Tu veux que je la néglige ?

— Non. Amuse-toi, librement, sans te préoccuper constamment de ce qu'elle pense et fait… Promets-le-moi.

— Très bien, fit-il à contrecœur. C'est ton secret, ajouta-t-il, après un silence, pour conserver Nicholas ?

— Peut-être, reconnut-elle, un peu surprise par sa perspicacité.

Philippe lui sourit. Son appétit revenait.

— Et maintenant, finis ton repas, dit Simone. Tu m'as promis de m'accompagner pour mes courses cet après-midi, tu n'as pas oublié ? Nous allons être en retard, à cause de ta lenteur. Quel enfant, mon Dieu !

Il éclata de rire devant ce reproche affecté et il termina rapidement son repas. Durant tout l'après-midi, dans sa promenade avec Simone, dans les rues encombrées de foule, il ne cessa de repenser à ses conseils. Elle n'avait peut-être pas tort. Il essaierait, du moins ce soir-là de mettre ce plan à exécution…

Il s'était retenu d'avouer à sa cousine qu'il pensait que ce n'était pas son attitude qui justifiait l'indifférence de Shana, mais le fait que ce qu'il attendait d'elle, elle voulait le donner à un autre... Mais peut-être se trompait-il ? Philippe l'espérait de tout cœur : Nicholas aimait Simone, et Shana, risquant de confondre admiration professionnelle et amour, s'exposait aux plus graves déconvenues !

Philippe ne cessait de ressasser cette possibilité désespérante, quand Simone fit remarquer :

— Tu es bien silencieux... Tu prépares ton complot ?

— Plus ou moins, répliqua-t-il. Merci, Simone, pour ton conseil.

Le taxi s'arrêta devant la maison de Simone et, en descendant, elle donna au chauffeur l'adresse de Philippe. Le véhicule redémarra et se faufila dans le flux de la circulation.

La nuit tombait, et Philippe devait se dépêcher s'il voulait être prêt pour aller chercher Shana à l'heure dite. Mais non... Mieux valait être un peu en retard... juste assez pour se faire désirer sans être impoli...

« Après tout, pensait-il, sa cousine avait peut-être raison... »

Les semaines qui avaient suivi l'audition avaient été pleinement satisfaisantes pour Shana. Elle avait pris sa dernière leçon avec Nicholas deux jours auparavant. Ils avaient établi le programme de son récital. Nicholas s'était montré d'une excellente humeur. Mimi avait servi le thé, et ils avaient conversé avec facilité et enjouement.

Shana avait passé plusieurs heures de l'après-midi

à Saint-Christophe, pour accompagner le chœur
d'enfants, qui allaient chanter pour le dernier dimanche de l'Avent. Elle rendait ce service de bonne grâce,
pour remercier des facilités qu'on lui avait offertes. Et
finalement, elle s'était bien amusée.

Elle s'habillait pour la soirée chez Marcel : elle
était heureuse d'être plongée dans l'atmosphère chaleureuse des Noëls français. Elle avait demandé à Philippe comment elle devait s'habiller, et il l'avait préve-
nue qu'il s'agissait d'une simple réunion d'amis.

— Tu es éblouissante dans n'importe quelle
tenue…, avait-il rétorqué avec indifférence.

Elle était furieuse ! Les hommes étaient tous
pareils…

Elle jeta un coup d'œil à sa montre. Philippe,
habituellement si ponctuel, se faisait attendre. Ce
devait être la circulation ou le mauvais temps, pensa-
t-elle, en s'asseyant sur le canapé pour relire la dernière lettre de sa mère.

Au bout de vingt minutes, elle commença à s'éner-
ver, quand elle entendit qu'on frappait à la porte. Elle
alla ouvrir.

— Mais enfin Philippe ! tu as vu l'heure !

— Tu es magnifique ! répondit simplement Philippe, ébloui par sa longue jupe de velours marron et
son chemisier blanc.

Il était ravi qu'elle fût fâchée contre lui, à cause de
son retard, mais ne le montra pas. Il l'aida à enfiler
son manteau.

— Merci, Philippe. Tu es très chic, toi aussi.

Ils descendirent rapidement l'escalier et se

retrouvèrent dans l'agitation de la rue. Ils n'étaient pas très loin de la maison de Marcel, et ils y allèrent à pied, d'un pas assez vif. La nuit était fraîche. Un vent sec soufflait. Les étoiles scintillaient dans le ciel, et la lune jetait sa lumière blafarde sur la neige.

C'était la première fois que Shana se rendait chez Marcel, bien qu'elle eût des relations amicales avec le jeune journaliste. Elle était contente d'avoir été invitée.

Philippe l'avait présentée à la sympathique jeune femme de Marcel et l'avait plantée là, toute seule, d'une manière qui ne lui ressemblait guère. Lui, évidemment, il connaissait tout le monde. Elle devrait s'en sortir toute seule, avec ce qu'elle commençait à connaître de la langue française...

Remarquant le regard attentif de Shana dans sa direction, Philippe était tout à fait ravi de son stratagème. Mais s'il avait pu lire dans les pensées de la jeune fille, il aurait peut-être eu moins d'enthousiasme... Shana passa des instants merveilleux à bavarder avec le cousin de Marcel, qui passait quelques jours à Paris, pour les vacances, et leur sympathie fut si immédiate qu'elle accepta tout de suite son invitation à déjeuner pour le 2 janvier.

Ils furent parmi les derniers invités à partir, et elle fut surprise de voir qu'il était aussi tard, quand Philippe vint vers elle. Les rues étaient désertes, tandis qu'il la raccompagnait dans son appartement. Il faisait si froid qu'un nuage de buée sortait de leurs bouches quand ils parlaient. Ils bavardaient joyeusement sur la soirée agréable qu'ils venaient de passer.

— Tu t'es bien amusé ? demanda-t-elle. Je t'ai vu dans un coin avec une jolie brune...

— Tu étais jalouse ? demanda-t-il d'un ton faussement léger.

— Oh affreusement ! répondit-elle, en donnant le change. Si tu continues à te conduire ainsi pendant les soirées où tu m'accompagnes, tu t'en repentiras...

Il sourit : il entendait exactement ce qu'il désirait entendre. Il se rappelait le conseil de Simone, prends de la distance... Il avait l'illusion que son petit jeu portait déjà ses fruits.

— Je suis désolé de devoir te dire que je ne serai pas libre jusqu'à la Noël, fit-il, comme à regret. Les examens ont lieu juste après les vacances, tu sais. Et après ces examens, je dois préparer mon dernier trimestre... pour l'examen de fin d'année.

— Ah oui ? dit-elle, visiblement déçue.

Il lui était très difficile de se concentrer pendant cette période de vacances, et elle avait pensé se détendre un peu en compagnie de Philippe.

— Eh bien, j'ai hâte de me retrouver à Noël, alors, dit-elle, comme ils s'arrêtaient devant sa porte. Est-ce que tu veux monter prendre quelque chose de chaud ?

— Non, merci. La journée a été longue. Bonne nuit.

Il ouvrit les bras pour l'embrasser. Il espérait qu'elle se montrerait plus affectueuse, en sachant qu'ils ne se verraient pas de quelques jours. Il déposa un baiser léger sur sa chevelure blonde et soyeuse.

Mais elle tourna légèrement son visage vers lui, lui offrant ses lèvres. Ils s'embrassèrent passion-nément.

Puis elle se dégagea délicatement de l'étreinte de Philippe et, le visage empourpré, disparut dans le hall de l'immeuble.

Philippe regrettait déjà sa décision et aurait voulu retrouver tout de suite Shana... Il allait compter les jours qui le séparaient de Noël... Il marcha tristement en direction de son immeuble en se demandant si les conseils de Simone étaient réellement valables...

La veille de Noël, le ciel était gris et nuageux. Shana venait de passer la semaine la plus désastreuse depuis son arrivée ! Ses exercices de piano semblaient ne lui avoir rien apporté, et elle avait pourtant besoin d'activité. Pour la première fois, la solitude lui pesait. Elle était même allée jusqu'à se renseigner sur les horaires d'avion et le prix des billets pour les U.S.A... Elle avait envie de faire ses bagages et de retourner chez elle ! Mais les vols étaient complets en cette période de l'année. Et pour couronner le tout, elle avait pris froid en rentrant de la soirée de Marcel !

Fatiguée, déprimée, Shana fut tentée d'appeler Nicholas, pour annuler leur visite à Versailles. Mais elle regarda le ciel nuageux par la fenêtre : ce n'était pas une journée à se cloîtrer chez soi ! D'ailleurs, elle se faisait une fête de revoir Nicholas, et dans un milieu autre que le salon de musique.

Elle enfila une robe grenat et commença à se sentir

mieux. « Je vais mettre un peu de gaieté dans toute cette grisaille ! »

Elle chaussa des bottes à hauts talons, revêtit un manteau fourré qu'elle boutonna jusqu'au col, et passa son bonnet de ski ; puis elle sortit pour aller prendre le métro.

Les trottoirs étaient glissants, et les passants marchaient la tête baissée pour lutter contre les bourrasques de neige.

Mimi vint accueillir Shana et la conduisit dans une pièce qu'elle ne connaissait pas. Un petit guéridon, entouré de quatre chaises, était disposé près d'une magnifique plante grasse. Le couvert, pour deux personnes, avait été mis.

Nicholas entra dans la pièce avec un plateau d'argent : service à café et pâtisseries. Shana se souvint alors qu'il avait un faible pour les sucreries...

— Bonjour, dit-il chaleureusement. J'ai pensé que nous avions besoin de prendre quelques forces avant de commencer une telle journée...

— Je prendrais volontiers un bon café ! répliqua Shana.

Il versa le liquide fumant dans une tasse de porcelaine qu'il lui tendit. Il présenta ensuite l'assiette de pâtisseries. Mais elle secoua la tête. Il lui jeta un regard ironique et se servit copieusement.

— Ma vaillante petite Américaine a le mal du pays, fit-il remarquer.

Elle s'en voulait terriblement de sa faiblesse, car elle sentait les larmes affluer. Mais elle but son café et reprit courage peu à peu : était-ce la présence de Nicholas ? Etait-ce simplement le café ?

— Parfait, dit-il doucement. Je vais vous divertir, en vous racontant les histoires extraordinaires d'un musicien en tournée...

Il tint parole : dans le taxi qui les conduisait à la gare Saint-Lazare, et dans le train jusqu'à Versailles, il ne cessa de lui raconter de divertissantes anecdotes. Passionnée par tout ce qui pouvait évoquer le monde musical, Shana avait fini par oublier sa nostalgie.

Dès qu'ils eurent franchi la grille du château, Shana fut saisie par l'imposante et austère beauté de cette construction classique. La neige, qui était tombée durant toute la nuit, donnait une légèreté irréelle à ces bâtiments majestueux, et Shana eut l'impression d'errer dans un monde de rêve...

— Oh ! Nicholas ! s'écria-t-elle. Quelle merveille !

Ils pénétrèrent à l'intérieur du château, visitant salle après salle. D'énormes lustres de cristal pendaient aux plafonds. Les murs étaient recouverts de miroirs, de peintures classiques... Des meubles richement tapissés et décorés étaient partout disposés... Shana ne pouvait tourner la tête sans découvrir un nouveau sujet d'émerveillement ! Le château était trop étendu pour qu'on pût le visiter complètement en une seule fois !

Nicholas était un guide émérite, et Shana ne fut pas rassasiée après plusieurs heures de visite. Mais ils devaient partir : ils abandonnèrent les lumières et l'éclat du château pour les brumes sinistres du crépuscule hivernal ; Nicholas héla un taxi qui les conduisit à une brasserie à proximité de la gare.

Ils étaient presque seuls dans le café et ils décidèrent d'y dîner. Shana mangea de bon appétit. Elle avait repris confiance en Nicholas et lui fit, sans retenue, de nombreuses confidences sur son enfance solitaire et ses aspirations. Elle n'avait jamais parlé aussi librement à quiconque : était-ce la fatigue qui lui déliait la langue ?

— Je sais, au moins autant que vous, Shana, ce que cela signifie de grandir dans la solitude, avoua Nicholas, d'un ton déchirant, qui émut profondément Shana. C'est un de mes tristes privilèges...

Il eut un sourire bouleversant.

— Car vous avez la musique en vous, ajouta-t-il, et les autres n'y ont pas accès de la même manière... C'est votre refuge secret... Vous avez l'impression d'abriter un démon, possessif, avec d'immenses mains, des mains puissantes, qui vous arrachent ce que vous aimeriez garder pour vous-même... Et vous devez vivre, toute votre vie, avec cette singularité. Croyez-moi, ce n'est pas une chose facile !

Se rappelant les confidences de Simone, Shana ne put s'empêcher de déclarer :

— Ce doit être particulièrement difficile, quand on vient d'un pays étranger...

Comme il ne répondait pas tout de suite, elle poursuivit :

— Comme je trouve la France si différente des Etats-Unis, j'imagine aisément votre désarroi quand, venu de Hongrie, vous vous êtes trouvé en Angleterre...

Le visage de Nicholas perdit toute expression

d'aménité. Ses traits se durcirent, et ses yeux se plissè-
rent.

— Je vois que Simone n'a pas su tenir sa langue !
A moins que ce ne soit Philippe qui ait utilisé mes
malheurs pour vous apitoyer !

— Je ne voulais pas me montrer indiscrète, protesta Shana, pour s'excuser. Vraiment. Simone m'a
parlé de vous, en effet, mais avec retenue et en des termes admiratifs...

Nicholas restait de glace.

— Elle a une telle admiration pour vous !
continua-t-elle. Elle voulait seulement que je fusse au
courant des obstacles que vous avez dû surmonter...
Je n'aurais rien dû dire... Je suis désolée.

— C'est moi qui devrais m'excuser au contraire,
dit Nicholas, avec ce brusque changement d'humeur,
auquel Shana aurait dû être maintenant habituée. Je
ne voulais pas vous chagriner, Shana. J'aurais simplement préféré être le premier à vous raconter ma triste
vie, en des termes que j'aurais choisis...

La sensibilité de Nicholas, soudain évidente sous
son apparente rudesse, émut Shana. Il posa sa main
sur la sienne. Le cœur de Shana tressaillit.

— Eh bien, faisons comme si Simone n'avait rien
dit, déclara-t-elle.

— Très bien.

Elle le regardait en silence, attendant qu'il se mît à
parler.

— Je ne suis pas encore prêt, affirma-t-il, de
manière déconcertante.

— Oh ! vous êtes décidément impossible !

— Oui, je dois l'admettre... mais pas aussi ennuyeux que Philippe...

Elle ne se sentit pas le courage de le contredire et se contenta de sourire. Elle ne se doutait pas que le cœur de Nicholas battait à tout rompre et qu'il avait la gorge nouée tandis qu'il la regardait, les joues encore roses de froid, les yeux étincelants... si jeune, si vivante, si éclatante de santé...

— Nous allons manquer notre train, murmura-t-il, en payant la note.

Sur le chemin de la gare, dans le froid piquant du soir, Shana aurait aimé être entourée par le bras de Nicholas. Mais il n'en fut rien. Elle prenait garde de rester à sa hauteur, ce dont il se rendit compte sans dire mot.

Avant d'entrer dans le hall de la gare, Shana leva les yeux vers le ciel étoilé. Nicholas suivit son regard, en souriant de son émerveillement.

Ils montèrent dans un wagon vide du dernier train pour Paris. Ils se regardaient de temps à autre, mais chacun était plongé dans son propre monde. Ils avaient probablement des questions sur le bout des lèvres, mais n'avaient pas le courage de les poser...

Le lien, qui était déjà incontestablement noué entre eux, avait besoin encore d'être consolidé... Ils n'osaient pas encore le mettre à l'épreuve : il était trop neuf, trop fragile. Ils gardaient un silence prudent, craintif.

Comme Nicholas l'avait désiré, ils se joignirent au groupe des fidèles venus assister à la messe de minuit au Sacré-Cœur. Shana fut profondément émue par le faste de la cérémonie et le recueillement de l'assistance. Mais ne devait-elle pas plutôt attribuer son trouble à la présence de l'homme qui l'accompagnait ?

Quand la messe fut terminée, Shana fut envahie par une sensation de paix intérieure, après cette journée si enrichissante, si mouvementée...

— Puis-je vous offrir un café quelque part ? demanda Nicholas, dont le visage ne laissait paraître aucune trace de fatigue.

Il y avait dans sa voix un ton d'une douceur inhabituelle chez cet être autoritaire.

Shana accepta sans la moindre hésitation : elle avait, comme lui, le désir de se donner l'illusion que la journée ne se terminerait jamais... Elle le suivit dans un taxi. Quel ne fut pas son étonnement quand elle l'entendit demander au chauffeur de les conduire chez *Maxim's* !

Comme le taxi s'arrêtait à un feu rouge, Shana aperçut un sourire au coin des lèvres de Nicholas, à la lumière d'un réverbère...

Quand ils arrivèrent, le restaurant était bondé.

— Nous ne trouverons jamais de place, gémit Shana.

« Il y a toujours une place pour moi ! » semblait dire le regard de Nicholas...

Et, en effet, le maître d'hôtel les conduisit à une table, dans un coin.

Ils furent suivis par des regards curieux qui n'échappèrent pas à Shana : les clients semblaient se demander qui était la jeune femme qui accompagnait le maître Nicholas Rubinsky...

« C'est mon professeur. Et je ne suis là que sur son invitation. Il essaie simplement de distraire aimablement une étrangère loin de sa famille et de son pays... » pensait Shana en les regardant. Mais croyait-elle seulement à cette rigoureuse logique ?

Ils continuèrent à évoquer leur visite du château de Versailles en buvant une liqueur, quand Nicholas déclara soudain :

— Si j'avais vécu à cette époque, j'aurais été chargé par le roi de m'occuper de la musique.

— Mais il n'y avait pas de piano sous Louis XIV !

— Aucune importance ! Vous auriez été une dame de cour et je... vous aurais probablement courtisée.

Elle éclata de rire, de bon cœur.

— Je n'aurais été probablement qu'une femme de chambre ! Vous ne m'auriez même pas remarquée !

— Vous ne voulez jamais être d'accord avec moi ! protesta-t-il.

— C'est faux. Je suis souvent d'accord avec vous. Mais je dois vous avouer que je suis souvent amenée à vouloir prendre le contre-pied de ce que vous affirmez.

— Est-ce la fameuse autonomie des Américaines ?

— Probablement. L'autonomie doit être préservée à tout prix !

— Voilà donc ce que vous êtes réellement : une révolutionnaire !

— Pas du tout, répondit-elle sérieusement. Je suis seulement loin de chez moi... Et pendant cette période de fêtes, l'atmosphère familiale me manque... Vous avez beaucoup fait pour moi, aujourd'hui, pour que je me sente mieux... Et je vous remercie beaucoup !

Il ne trouvait pas de réponse : devait-il lui avouer que ses motivations avaient été strictement égoïstes ?

— Philippe vient me chercher vers onze heures, demain. Il est temps de rentrer, ajouta-t-elle à contre-cœur.

— A vos ordres, mademoiselle.

Leurs verres étaient vides, et ils comptaient parmi les derniers clients... Ils prirent un taxi non loin de la place de la Concorde déserte...

— Joyeux Noël, Nicholas, dit Shana quand le taxi s'arrêta devant son immeuble.

Sans se laisser le temps de perdre courage ou d'être découragée par sa prudence, elle se pencha et l'embrassa. Et pour éviter toute remarque ironique de sa part, elle se glissa hors de la voiture, traversa à grands pas le trottoir enneigé et disparut dans le hall de l'immeuble.

« Que le monde soit empli d'allégresse ! pensa-t-elle, en se faufilant entre ses draps. C'est le matin de Noël. Et je n'ai jamais été aussi heureuse de ma vie ! »

Il continua à neiger jusqu'à l'aube, et quand Shana s'éveilla, le soleil brillait derrière les volets. Elle enfila un peignoir, et courut, pieds nus, jusqu'à la fenêtre pour admirer la ville éblouissante sous le soleil.

Elle s'habilla rapidement, certaine que Philippe n'aurait pas une minute de retard pour un tel jour... Elle avait hâte de le revoir. Elle s'était décidée pour une robe en laine verte, à manches longues.

Philippe vint la chercher avec la voiture de son père. Il était manifestement très fier d'amener Shana dans sa famille qui habitait une banlieue résidentielle.

— Es-tu prêt pour tes examens ? demanda Shana.

— Je pense que oui. Mais il reste encore deux trimestres ! Et toi ? Est-ce que tu as beaucoup travaillé ?

— Non, dut-elle avouer. J'ai eu un rhume et je n'ai joué que pour accompagner une répétition du chœur d'enfants de Saint-Christophe. Et j'ai fini mes achats de cadeaux de Noël !

Il jeta un coup d'œil au filet qu'il lui avait donné au début de son séjour pour transporter ses partitions : il était plein de paquets de tailles variées et multicolores.

— Dépêchons-nous Shana ! s'écria-t-il, soudain enthousiaste, en pressant la main gantée de Shana.

— Oui, reconnut-elle, tandis qu'il l'entraînait dans le couloir.

Ils arrivèrent bientôt devant une allée bordée de sapins ployant de neige. La voiture s'arrêta devant une énorme porte en fer forgé qui s'ouvrit pour leur céder le passage. Shana était impressionnée, et son étonnement fut agrandi à la vue de la colossale bâtisse qu'elle vit bientôt devant elle.

— Bienvenue, Shana ! s'écria solennellement Philippe en l'aidant à sortir du véhicule.

La famille de Philippe était rassemblée dans la salle de séjour, autour d'une magnifique cheminée. C'était une pièce confortablement meublée et chaleureuse. Un magnifique sapin de Noël, avec ses boules multicolores et ses guirlandes, trônait au milieu de paquets de toutes formes...

— Mes parents ont passsé la Noël une fois à New York, expliqua Philippe. Ils ont constaté que la coutume était la même qu'ici. Tu te sentiras moins loin de chez toi comme ça...

Shana se sentait terriblement émue, mais toute gêne disparut au sein de cette famille simple et sincèrement accueillante. Philippe avait un frère plus jeune que lui et deux sœurs.

— Les cadeaux ! cria la plus jeune, d'une voix excitée.

Mais sa mère la fit se taire.

— Dès que ta cousine Simone et Nicholas arriveront, promit-elle.

Quelques minutes plus tard, la sonnette d'entrée se fit entendre, et la mère de Philippe alla ouvrir. On entendit un échange de bons vœux, et Simone apparut, en secouant la neige de ses bottes, suivie de Nicholas, chargé de cadeaux. Sans leur laisser le temps de se débarrasser, les petites fillettes leur sautèrent au cou.

— Maintenant, tout de suite ! exigèrent-elles. Les cadeaux !

Nicholas et Simone avaient tout juste eu le temps de saluer tout le monde, que les petites s'affairaient déjà par terre pour défaire leurs paquets.

Les adultes considéraient, avec amusement, leurs visages émerveillés et sérieux. Et quand elles eurent découvert leurs nouveaux jouets, ce fut au tour des grandes personnes...

Philippe admira l'écharpe, mais ce fut surtout le bonnet que Shana avait crocheté spécialement pour lui, qui l'émut. Il l'essaya et déclara qu'il ne le quitterait jamais ! Simone semblait tout à fait touchée par la gravure représentant la Nativité, et la plante grasse que Shana avait offerte aux parents de Philippe fut accueillie avec un égal succès.

Shana devait se souvenir longtemps de l'expression de reconnaissance et de ravissement de ses amis, mais ce fut la réaction de Nicholas qui resta le plus profondément gravée dans sa mémoire. Elle ne l'avait pas aperçu au moment où il avait défait le paquet qu'elle avait préparé elle-même si minutieusement... Elle était en train de rire avec Philippe, qui paradait, fier de son magnifique bonnet, quand elle vit soudain Nicholas qui l'observait de l'autre extrémité de la pièce. Il avait entre les mains le précieux œuf de porcelaine : il donnait l'impression de tenir un véritable trésor ! Elle se contenta de répondre à son regard, en semblant affirmer. « Oui, vous savez maintenant à quel point je tiens à vous. Je veux que vous le sachiez ! »

Tout absorbée par cette intimité silencieuse, Shana ne se rendit pas compte que leur échange muet avait un témoin... Et la personne qui les regardait sut interpréter l'intensité de leur communion !

Quand Mme Duvalier annonça que le déjeuner était servi, tout le monde se dirigea vers la salle à manger.

— Nous venons tout de suite, dit Philippe à sa mère, en retenant Shana un moment à l'écart.

Il sortit de sa poche un petit coffret qu'il lui tendit.

— Joyeux Noël, Shana !

Elle défit le petit paquet et découvrit un ravissant pendentif d'onyx au bout d'une chaînette d'argent.

— Oh ! Philippe ! s'écria-t-elle. C'est magnifique ! Je vais le mettre tout de suite. Tu as fait des folies ! Et moi je ne t'ai offert qu'un bonnet fait à la main...

Elle mit la chaînette autour du cou, et Philippe l'aida à ajuster le fermoir.

— Mais nous avons mis tout notre cœur, dans chacun de nos cadeaux, non ? fit-il remarquer.

Elle lui répondit par un sourire. Il la prit par le bras et la conduisit dans la salle de séjour, où une table somptueuse avait été dressée.

Les enfants étaient trop excités pour tenir en place et manger calmement : leur père les excusa et les autorisa à aller s'amuser dans le salon. Les adultes, eux, mangèrent et bavardèrent de manière détendue et enjouée.

En revenant dans le salon, Simone admira le pendentif de Shana et dit qu'elle espérait que Shana aimerait le parfum qu'elle avait choisi pour elle. Pour la deuxième fois de la soirée, Shana se perdit en remerciements confus et commenta à son tour le splendide anneau d'or que Nicholas avait offert à Simone : c'était une bague ancienne admirable, ornée d'une pierre d'opale qui captait la lumière à chaque mouvement de la main.

— Nicholas n'aime pas offrir ses cadeaux en public, confia Simone d'un air plein de sous-entendus.

C'est alors qu'Adèle, la plus jeune des sœurs de Philippe, demanda timidement à Shana de monter au premier étage pour jouer du piano. Heureuse d'échapper à Simone, Shana accepta volontiers l'invitation de la petite fille. La petite se mit elle-même au piano, mais finit par se lasser et rejoignit sa grande sœur, en abandonnant Shana qui décida de retrouver les autres au salon.

Comme elle s'apprêtait à descendre l'escalier, Nicholas la retint par le bras. L'avait-il attendue, épiée ?

— Shana ! j'ai quelque chose pour vous, dit-il sans préambule.

Et il s'avança vers elle, en lui tendant un paquet. Elle défit l'emballage et découvrit l'édition intégrale des sonates de Beethoven pour piano ! Les partitions n'étaient pas neuves. En les feuilletant, Shana aperçut des notations, des remarques d'interprétation... Ses yeux s'emplirent de larmes.

— Je ne peux pas accepter, murmura-t-elle. Vous devez les garder !

— Je me rappelle ce que j'ai écrit, protesta-t-il doucement. Je veux que vous les ayez... Peut-être, un jour, quand vous préparerez un concert à New York, à Carnegie Hall, vous souviendrez-vous de votre professeur...

Elle ferma les yeux, sans pouvoir empêcher ses larmes de couler. Il lui caressa le menton, du bout de ses doigts effilés. Elle fut parcourue d'un frisson à ce contact.

— La plupart des femmes ont un air misérable, pitoyable quand elles se mettent à pleurer, fit-il remarquer. Tandis que vous, vous avez des diamants dans les yeux... et sur vos joues.

Elle eut un sourire si éblouissant, qu'il fut assuré d'avoir fait le bon choix en lui offrant ses partitions...

Il avait bien compris qu'il était inutile de chercher pendant des heures un cadeau impersonnel pour elle… C'était bien ce qui pouvait la toucher le plus profondément !

Shana essuya ses larmes et descendit avec Nicholas pour rejoindre leurs amis. D'autres invités s'étaient joints à la réunion familiale, après le repas. Shana se sentait parfaitement heureuse. Elle s'assit près du feu, où Philippe vint la rejoindre, en l'entourant d'un bras, de manière possessive. Elle s'était à peine aperçue de sa présence, car Nicholas avait réussi à pénétrer au fond de son âme et avait éveillé en elle un sentiment inconnu…

Le soleil du crépuscule faisait scintiller ses dernières lueurs tandis que l'après-midi mourait. Shana était grisée de bonheur : elle avait toujours, devant les yeux, l'expression de Nicholas, au moment où il découvrait le cadeau qu'elle lui avait fait.

La mère de Philippe avait préparé également un dîner, mais Shana n'avait plus d'appétit. Elle fut heureuse que Philippe remarquât ses cernes et son visage un peu chiffonné et lui proposât de la raccompagner. Shana remercia chaleureusement les parents de Philippe, fit un petit signe amical à Simone et à Nicholas et sortit en compagnie de Philippe, au milieu des nombreux invités.

Des traînées de pourpre luttaient encore contre la nuit, derrière un bois aux arbres dénudés. Les réverbères avaient été allumés, les phares des voitures scintillaient, et l'on apercevait dans des rectangles de lumière, aux fenêtres, de joyeuses réunions familiales, tout le long de la route qui menait à Paris.

— Alors, tu as passé un agréable Noël ? demanda Philippe. Tu sembles être épuisée.

— Philippe, tu as une famille épatante ! J'ai beaucoup apprécié ton invitation. Ç'aurait été très dur pour moi, sans cela...

— Lundi prochain, je dois partir pour Strasbourg, pour assister à un séminaire pendant une semaine. Tu me manqueras beaucoup... On pourrait peut-être aller au cinéma ensemble, avant mon départ.

— Tu es trop gentil avec moi, Philippe. Je ne le mérite pas.

— Mais, bien sûr que si ! protesta-t-il.

Il faisait complètement nuit, quand il arrêta la voiture devant l'immeuble de Shana. Il se pencha vers elle et l'embrassa.

— Philippe, ne l'oublie pas, dit soudain Shana. Je pars de Paris au printemps !

— On verra, ma chérie, murmura-t-il, en gardant sa joue contre la sienne.

Elle refusait de comprendre ce qu'il désirait laisser entendre.

— Je ne veux pas te faire de mal, dit-elle.

— Tu en serais bien incapable, protesta-t-il, sans la moindre inquiétude. Alors, ce cinéma ? C'est oui ?

— D'accord. Quand ?

— Samedi, si tu veux.

— D'accord, répondit Shana en prenant son sac et ses cadeaux, et en le remerciant encore une fois.

— Joyeux Noël ! répéta-t-elle, en descendant de la voiture.

Philippe attendit qu'elle eût refermé la porte de

l'immeuble pour démarrer en klaxonnant joyeusement.

— Elle était trop fatiguée pour essayer de voir clair dans les événements mouvementés de la journée. « Philippe ne doit pas m'aimer. Il ne faut pas ! se disait-elle, dans un demi-rêve, en se préparant pour la nuit. Et Nicholas ne n'aime pas ! »

Mais pourrait-elle s'aveugler longtemps ? Si ce n'était pas de l'amour, quel nom devait-elle donner à cette flamme qu'elle avait perçue aussi bien dans les yeux noirs de Philippe que dans les yeux gris de Nicholas ?

« Amitié ! trancha-t-elle, hypocritement. Ce n'est rien d'autre que cela. Et c'est ce que j'éprouve, pour l'un et pour l'autre... »

Mais cette illusion tiendrait-elle encore longtemps ?

CHAPITRE VI

Quand Philippe partit pour Strasbourg, Shana eut le cœur serré. Elle avait préparé un déjeuner rapide dans sa chambre et l'avait accompagné dans le métro. Il l'assura qu'il rentrerait avant une semaine.

Sur le chemin du retour, vers l'église de Saint-Christophe, Shana eut l'impression que Paris n'était pas toujours une belle ville ! Les passants avaient des visages rébarbatifs... Le ciel de grisaille promettait de nouvelles intempéries... Le vent gémissait et faisait claquer les volets des vieux immeubles...

Elle ne trouva aucun apaisement, même dans la musique. Elle ne se sentait pas prête pour le premier cours de l'année avec Nicholas. Les notes du clavier n'étaient plus les instruments de son art, mais des obstacles contre lesquels elle devait lutter !

Elle connaissait désormais son professeur assez bien, pour savoir qu'il ne ferait preuve d'aucune indulgence, même en cette période de fête...

Contredisant son appréhension, la leçon du mardi se passa très bien. L'intimité relative, qui s'était établie entre eux pendant la période de Noël, s'était prolongée jusqu'à l'année nouvelle... Elle avait repris confiance en elle-même, et elle s'imposa un emploi du temps draconnien ! Loin de Philippe, elle n'avait aucun sujet d'être distraite et consacrait exclusivement ses journées au piano. Nicholas avait suggéré d'ajouter une leçon le samedi suivant. Shana, qui se sentait maintenant mieux préparée, avait hâte de voir venir la fin de la semaine.

Tandis qu'elle se dirigeait vers l'hôtel-résidence de Nicholas, Shana se rendit compte, non sans quelque surprise, que Philippe ne lui avait pas du tout manqué.

« Philippe m'a ouvert son cœur et sa famille... A moi, qui ne suis qu'une étrangère... Et je ne peux lui répondre que par un sentiment d'affection amicale... Quelle ingrate je suis ! »

Mais, elle avait beau s'accuser elle-même, elle n'y pouvait rien. Elle allait prendre une leçon avec Nicholas : rien d'autre au monde n'avait plus d'importance !

« Il faudra que je parle sérieusement avec Philippe, quand il reviendra », se dit-elle, sans trop y penser. Il faut que je ne laisse subsister aucun doute sur la nature de mes sentiments à son égard. »

Elle était dans l'ascenseur de l'immeuble de Nicholas, et déjà l'image même de Philippe s'était évanouie...

Mimi avait un air qui en disait long sur la mauvaise humeur de Nicholas... Il ne dit pas un mot, quand Shana entra dans la salle de musique. Elle se contenta donc de s'asseoir au piano et d'ouvrir sa partition.

— Pas Beethoven ! s'écria-t-il. Skriabine !

C'était la sonate la plus difficile qu'elle eût à préparer pour le concert de fin d'année. Et elle avait

essayé de différer le plus longtemps possible son exécution devant Nicholas : elle avait des problèmes de
doigté, de nuances...

— J'ai quelques questions à vous poser, à ce
sujet, commença-t-elle.

— Plus tard ! Jouez d'abord !

« Il ne me fera pas perdre mes moyens ! » ragea-
t-elle, intérieurement, en se mettant à jouer. Il la laissait se débattre toute seule avec cette partition extrêmement difficile.

Quand elle eut plaqué le dernier accord, elle était
rouge de fatigue et de fureur : elle se sentait humiliée !

— C'est un vrai désastre ! lâcha-t-il pour tout
commentaire. Je vais faire un petit tour pour me
changer les idées.

Elle le vit, avec stupéfaction, enfiler son manteau
et ouvrir la porte du couloir.

— Eh bien, que faites-vous, plantée là à me regarder ? Vous m'accompagnez... ! ordonna-t-il.

Elle était tentée de répliquer : « Il n'en est pas
question ! » Mais elle dut refouler sa colère, revêtir
son manteau, et enfiler ses gants. Il s'avança dans le
couloir, sans même lui jeter un coup d'œil : comme si
elle n'existait pas !

Dans l'ascenseur, côte à côte, ils n'échangèrent
pas un regard. Ils s'ignoraient. Elle garda un silence
obstiné tandis qu'ils avançaient dans le froid de
l'hiver, au milieu de passants indifférents. Nicholas
marchait à grandes enjambées : Shana devait presque
courir pour rester à sa hauteur.

Au bout d'un moment, elle éclata :

— Eh bien, vous êtes content ? Vous avez prouvé
que vous me battiez au clavier, et que vous me battiez

à la course ! Quel sera le prochain concours ! Le premier monté au sommet de la tour Eiffel ?

— Ne vous conduisez pas comme une enfant, murmura-t-il.

— J'ai certains défauts, je le reconnais volontiers, maître Rubinsky, mais si l'on parle d'enfantillages, je ne crois pas être la première coupable ! Je suis venue pour avoir une leçon de piano et non pas pour me promener avec vous !

Elle s'arrêta pour reprendre sa respiration et elle le considéra avec une totale indignation. Mais il refusait de la regarder dans les yeux.

— J'étouffais dans cette salle ! donna-t-il comme seule explication.

On entendait à peine sa voix...

Ils entrèrent dans un jardin public. Il essuya la neige sur un banc, du revers de sa main gantée et s'assit.

— Shana, asseyez-vous, s'il vous plaît, fit-il, en la regardant avec un petit sourire triste. Je ne sais comment m'excuser... J'aurais dû annuler votre leçon. Vous êtes en droit d'être furieuse contre moi.

Il se calma un instant.

— Mais, parfois je suis incapable de supporter...

Il semblait complètement accablé. Elle s'assit à côté de lui. Elle aurait voulu poser la main sur la sienne, mais elle n'osait pas.

Il avait les yeux fixés sur les formes baroques des branches nues qui se découpaient, dans la neige, sur le fond d'un ciel blafard.

— La souffrance physique, je suis capable de l'affronter. Ce n'est rien. Mais c'est d'avoir la musique là, en moi, et de ne posséder aucun moyen de l'exprimer... Aucun moyen...

Il tendit les mains gantées, et elle vit qu'elles trem-
blaient.

— Elles m'ont trahi, maugréa-t-il. Est-ce que
vous imaginez ce que cela signifie : entendre la musique en soi et ne pas pouvoir jouer de ses propres
mains ?

Elle ne savait quoi répondre.

Soudain, il se tourna vers elle et enveloppa ses
petites mains dans les siennes.

— Dites-moi, est-ce que vous pouvez l'imaginer ?

— Non, je ne peux pas, répliqua-t-elle. Mais je
pense que c'est faire preuve d'une immense force de
caractère que de l'afffonter...

Il rit amèrement.

— Il n'est pas question de l'affronter, mais de s'y
habituer ! Je vais vous dire un petit secret ! je méprise
la plupart de mes élèves. Ils ne savent pas le pouvoir
magique qu'ils possèdent... Ce sont des imbéciles !

Elle dégagea ses mains et le considéra avec étonnement. Elle était outrée et, sans se soucier des conséquences de ses paroles, elle s'écria :

— C'est un mensonge ! Vous êtes jaloux, Nicholas. Vous vous voyez dans chacun de nous, à un degré
plus ou moins élevé, et vous voulez faire commerce de
votre âme !

Il la fusilla du regard. « Match nul ! pensa-t-elle,
le cœur battant. Il m'a humiliée, mais j'ai fait mou-
che. J'ai mis le doigt sur quelque chose qu'il ne voulait pas reconnaître... »

D'une manière tout à fait inattendue, il n'y eut pas
la moindre trace d'hostilité en lui :

— D'où sortez-vous cette perspicacité ? demanda-
t-il en plissant les yeux.

Ne sachant pas s'il se moquait d'elle, elle déclara sèchement :

— Cela fait partie probablement de mes enfantillages !

« Il ne doit pas savoir à quel point il me blesse ! » pensa-t-elle, profondément troublée. « Quand ses immenses yeux gris sont fixés sur moi, je suis désemparée... Il appartient entièrement à ma sensibilité musicale... Je ne peux plus les séparer... Qu'est-ce qui m'arrive ? »

— Nous attribuons souvent nos propres défauts aux autres, dit-il, avec insistance. Est-ce que cela vous dirait d'aller voir l'exposition des Impressionnistes, qui se tient, à côté, au Musée Marmottan ? ajouta-t-il brusquement.

Shana hocha la tête : au moins, dans le musée, elle aurait chaud ! Shana fut envoûtée par le chatoiement des couleurs et l'atmosphère chaleureuse de chaque tableau. Elle ne semblait pas se rendre compte que Nicholas guettait ses réactions, comme s'il découvrait Shana pour la première fois de sa vie : elle était enfin délivrée à ses yeux de la pesante étiquette d'élève américaine à Paris.

En sortant du musée, ils allèrent prendre un café dans une brasserie proche.

— Pourquoi me faites-vous la tête ? demanda-t-il.

Sa mauvaise humeur était passée, mais il en restait quelques traces : il était manifeste qu'il avait souffert.

— Pourquoi êtes-vous sorti avec moi, la veille de Noël ? demanda-t-elle, au lieu de répondre.

— Parce que vous aviez besoin de moi, répondit-il après une légère hésitation.

— Qu'est-ce qui s'est passé de différent aujourd'hui ? Vous n'aviez pas vraiment envie de donner une leçon. Vous le faites toute la semaine et vous essayez, de votre mieux, d'améliorer les progrès de vos élèves, même si vous semblez les effrayer, les mépriser, les faire pleurer... Aujourd'hui, c'est vous qui aviez besoin de moi.

Elle voyait bien qu'il était sur le point de protester avec violence, mais elle passa outre :

— Vous vous êtes toujours montré honnête avec moi, Nicholas. Ne changez pas aujourd'hui...

Elle avait un regard sombre et sérieux. Il se rendait compte que s'il la rabrouait maintenant, il serait désormais impossible de se rattraper plus tard et qu'il gâcherait cette étrange relation établie entre eux sans qu'il l'eût recherchée ni voulue.

— Où étiez-vous il y a dix ans ? murmura-t-il.

— A Akron, dans l'Ohio, en train de faire du vélo en direction de mon lycée, probablement, dit-elle simplement. Quelle importance cela a-t-il pour vous ?

— Que voulez-vous dire ?

— Que le passé est le passé, quel qu'il ait été... Aujourd'hui compte seul et puis demain et puis...

— Tiens, tiens, vous jouez les blasées.

— Pas du tout. Je suis simplement réaliste.

— C'est une illusion de jeunesse... Vous n'avez pas encore de véritable passé sur lequel vous retourner. Vous trouvez plus d'attrait dans le monde présent, évidemment.

— Mais enfin, la vie ne vous a-t-elle donné aucune joie ? demanda-t-elle, non sans agacement.

Elle avait toujours réprouvé l'apitoiement sur soi-même : elle n'allait pas l'accepter de cet homme compliqué et capricieux !

— J'aimerais bien que vous me disiez quelle joie ma vie a bien pu me donner et ce que je peux regretter... Grâce à Simone, je pense que vous avez eu un aperçu de mon passé ! ajouta-t-il dans un sarcasme.

— Vous êtes un homme aigri ! rétorqua-t-elle. Mais, j'ai suffisamment parlé !

— Continuez ! pria-t-il.

— Mais quoi que je puisse dire, ce sera sujet à caution, commença-t-elle. Puisque vous insistez, je peux vous dire que tous les élèves musiciens ont les yeux tournés vers vous et espèrent que vous leur donnerez des cours... Vous avez des millions d'admirateurs parmi ceux qui vous ont écouté en concert ou en disque... Vous savez très bien que vous êtes le maître dans votre domaine et que personne ne pourra prendre votre place. Vous avez encore la possibilité de vivre dans la musique. Vous avec Simone, sa famille, et probablement une grande quantité d'amis que je n'ai pas rencontrés... Vous avez un appartement magnifique et une perle de gouvernante...

Elle se tut, rouge d'émotion, les yeux ardents.

Elle avait envie d'ajouter : « Et vous avez, à votre disposition, une fille pour vous plaindre ! » Mais cette remarque qui lui brûlait les lèvres risquait de les brouiller définitivement...

— Et puis ? insista-t-il, devant son silence soudain.

— Vous jouez au personnage tragique, Nicholas. Vous n'avez aucune raison de le faire. Le plus important vous reste : la vie ! Vous rendez-vous compte que vous auriez pu périr dans cet accident ferroviaire ?

— Décidément, vous êtes la raison personnifiée !

Puisque vous avez réponse à tout, je me demande bien pourquoi je reste là à vous écouter ?

— Parce que vous savez que je vous dis la vérité.

Voilà ! la chose était dite ! Fallait-il attribuer sa sincérité à sa compassion ou à sa simple frustration ? Il allait monter sur ses grands chevaux, maintenant qu'elle avait osé empiéter sur son domaine privé.

Il avait tant pâli que son teint était devenu cendreux. Elle s'attendit à un torrent d'injures, mais il déclara simplement :

— Eh bien, à quoi cela nous avance-t-il, Shana ? Est-ce que vous avez encore quelque chose de gentil à me dire ?

— Quelle importance cela a-t-il ?

— Répondez-moi.

Il ne semblait même pas lui en vouloir. Il avait une expression énigmatique. Il avait les paupières entre-closes : elle n'arrivait pas à lire dans son regard.

— Vous dites que vous êtes honnête. Alors, je vous prie, terminez, insista-t-il.

— Vous êtes un homme remarquable. Je considère que c'est un privilège, pour moi, de vous avoir rencontré, dit-elle humblement en tournant, mécaniquement, la cuillère dans sa tasse.

— Savez-vous pourquoi je vous ai écoutée jusqu'au bout ? demanda-t-il, à voix basse.

— Non.

— Parce que vous avez dit des choses que j'ai souvent pensées et que personne n'a jamais osé me dire en face. Vous n'avez pas peur de moi. L'idée même d'aborder un tel sujet n'aurait pas effleuré Simone... Vous ne savez pas comment, du reste, j'aurais réagi... Vous n'avez pas craint de risquer une terrible colère de ma part : j'aurais pu vous renvoyer à jamais et rendre votre séjour à Paris insupportable. Mais, en réalité, je désire plus que jamais vous aider à faire le chemin qui est le vôtre, en musique. Vous avez une intuition et une sensibilité qui ne se sont pas encore pleinement déployées dans le langage musical. Je veux vous aider à tirer le meilleur de vous-même.

Shana avait parlé du fond du cœur, sans réfléchir aux conséquences, et ce n'est que maintenant qu'elle était éberluée par l'énormité de ce qu'elle avait déclaré.

— Ma mère me répète toujours que je parle trop, murmura-t-elle.

— Vous ne pourriez faire autrement. Vous devez me faire confiance. Je ne vous trahirai pas.

Les yeux gris étincelaient. Shana aurait voulu se blottir contre sa poitrine...

— Moi, je sais pourquoi vous avez parlé comme vous l'avez fait, même si vous, vous l'ignorez.

— Pourquoi ? souffla-t-elle.

Il avait un sourire déchirant qui aurait presque fait pleurer Shana...

Mais il refusa de répondre.

— Venez, dit-il simplement. J'ai un rendez-vous. Je suis en retard. On se revoit mardi. Je vais vous appeler un taxi.

— Je préfère aller à pied, répliqua-t-elle. Ce n'est pas très loin.

Et ils sortirent du café.

— Nicholas ! dit-elle, en effleurant sa manche.

— Ne vous tracassez pas ! dit-il. Tout va bien.

Elle savait bien qu'il essayait de la rassurer. Ces traits vigoureux trahissaient-ils un changement ?

Manifestaient-ils une réelle émotion ? Avait-il envie de l'embrasser, après toute la tension de cet après-midi ? Pouvait-elle enfin considérer que le lien qui les unissait était consolidé ?

— Au revoir, fit-elle.

Il la regarda s'éloigner sur le pont Alexandre III, qui la menait sur la rive gauche, et héla un taxi.

Il n'était plus oppressé. Il avait un extraordinaire sentiment de soulagement. Son seul regret était d'avoir laissé entendre à Shana à quel point il tenait à elle. Il était certain que ce sentiment n'était pas réciproque. Son désir de fonder un foyer l'éloignerait de lui... Le seul cadeau qu'il pouvait lui faire, en dehors de son enseignement musical, était de se retirer de son chemin.

Simone était déjà arrivée chez lui, quand il fut de retour. Il aurait aimé annuler leur rendez-vous ! Il avait besoin de se retrouver seul. Les déclarations véhémentes de Shana se bousculaient dans sa tête. Il aurait voulu y voir clair, à tête reposée.

Simone était ravissante, comme toujours, mais elle paraissait préoccupée, malgré son souci de sembler détendue...

Sans même le saluer, elle déclara à Nicholas :

— Mimi m'a appris que tu étais sorti avec cette petite Américaine...

— Nous sommes allés nous promener après la leçon, dit-il en enlevant son pardessus. Où voudrais-tu dîner ?

Sentant que quelque chose avait changé en lui, mais incapable de comprendre ce que c'était exactement, Simone refusa de lui répondre. Généralement, il parlait de ses élèves avec une certaine ironie... Jamais, il ne s'était montré aussi secret avec elle !

Simone fut envahie d'un terrible malaise. Elle avait jusqu'ici attribué le grand intérêt que Nicholas manifestait à l'égard de Shana, à son talent exceptionnel. Mais son attirance avait peut-être d'autres raisons... Simone se jeta un coup d'œil dans le miroir. Elle se trouva plus belle que jamais ; il était impossible de nier qu'elle fût l'une des femmes les plus séduisantes de la capitale.

— Est-ce que tu m'aimes toujours ? demanda-t-elle, en minaudant.

— Qui pourrait ne pas t'aimer ? répondit-il automatiquement.

Ce n'était pas la réponse qu'elle voulait entendre.

— Prenons un verre avant de sortir, proposa-t-elle.

Il y avait incontestablement un problème. Nicholas devait avoir besoin de son aide, se dit-elle. Il fallait qu'il se rendît compte qu'une relation avec Shana Morgan était exclue par leur rapport de professeur à élève ! le maître Nicholas Rubinsky ne devait pas se ridiculiser !

— Comme d'habitude ? demanda-t-il.

— S'il te plaît.

Il appela Mimi et se fit servir la liqueur douce dont raffolait Simone et du whisky pour lui-même.

« Il faut vaincre l'obstacle, tout de suite, avant qu'il ne soit trop tard ! » pensa Simone.

— C'est une fille adorable, murmura-t-elle, tandis que Mimi apportait le plateau.

— Qui donc ?

— Shana Morgan.

— Oui.

— Evidemment, elle n'est pas très mûre... elle fait encore très gamine.

Nicholas ne répondit pas.

— Continue-t-elle à faire des progrès aussi remarquables ? insista Simone.

— Tout se passe bien.

Y avait-il une nuance de tendresse dans sa voix ? Simone n'aurait pu l'affirmer.

— Tu te rappelles, Nicholas, la croisière que nous avons faite ensemble, avec ma famille, dans les Cyclades ? demanda-t-elle, d'un ton rêveur. Je me disais que dès que la saison toucherait à sa fin, il serait merveilleux d'y retourner tous les deux... Peut-être même avant : je vais avoir quelques jours de relâche bientôt. Tu penses que ce serait possible ?

Nicholas s'assit dans un fauteuil, en agitant le glaçon dans son verre, le regard perdu.

— C'était un été merveilleux ! Tu te rappelles l'Acropole au clair de lune ? insista Simone.

— Comment pourrais-je l'oublier ?

— C'était cette nuit où nous avions trop bu d'*ouzo* et où nous avions erré dans les ruines, en riant comme des enfants...

Simone rit à cette évocation.

— Nous méritons ce petit voyage, Nicholas, reprit-elle. Je ne suis pas retournée en Grèce depuis... Est-ce que la Méditerranée ne te manque pas ? Cette brise rafraîchissante et le scintillement de la mer turquoise sous le soleil.

Elle guettait sa réponse, qui ne vint pas. Il avait cessé de sourire. Pourquoi avait-elle le sentiment qu'il était en train de lui échapper ?

— J'aime beaucoup Paris en hiver, dit-il non sans méchanceté.

— Mais enfin, tu as toujours détesté Paris en hiver ! protesta Simone, outrée.

— Cet hiver n'est pas comme les autres...

— Vraiment ? Et pourquoi ?

— Je ne sais pas, répondit-il sincèrement, en la regardant dans les yeux pour la première fois. Pourquoi est-ce que tu essaies de m'écarter de Paris, en me parlant de cette croisière ?

— Quelle idée ! Je n'ai aucune envie de t'*écarter* de Paris ! J'ai seulement pensé que ce seraient des vacances agréables ! Tu n'as pas arrêté de travailler ces derniers temps. Je me disais que tu avais besoin de retrouver tes vieux amis.

— Plutôt qu'une jeune innocente, n'est-ce pas ?

— Eh bien, puisque tu le prends sur ce ton, oui ! lâcha-t-elle, avec un regard arrogant. Shana n'est qu'une enfant, Nicholas. Une gamine ravissante, et qui promet, mais rien qu'une gamine ! Et américaine !

Nicholas regarda fixement l'œuf de porcelaine que Shana lui avait offert pour Noël : Simone ne put faire autrement que de suivre son regard...

— Nicholas, reprit Simone, agacée, j'ai supporté tes humeurs et tes caprices pendant deux ans ! Tu dois reconnaître le sacrifice que j'ai fait !

— Sacrifice ? répéta Nicholas, interloqué. Il me semble, Simone, que je n'ai élevé aucune objection devant tes autres... disons amitiés... Tu n'as aucun droit de regard sur les miennes. Qu'il s'agisse d'une jeune fille ou d'une vieille femme !

— Nicholas, tu es insupportable ! Non seulement

tu es en train de me mentir, mais tu te leurres toi-
même ! Tu es amoureux d'elle, n'est-ce pas ?

Il éclata de rire.

— Mais enfin, pour qui me prends-tu ? Pour un
gosse ?

— En tout cas, c'est ainsi que tu t'es conduit.
Votre visite à Versailles et votre petite escale chez
Maxim's ne sont pas passées inaperçues !

— Tiens, tiens ! Tu as tes espions... C'est Mimi
que tu as soudoyée ?

— Nicholas, ne sois pas ridicule ! gémit Simone.

— Mais je suis tout à fait calme, pour ma part...
C'est toi qui rougis de colère et qui te mets à hurler
comme une crécelle, c'est toi qui perds ton contrôle...

— Nicholas, n'essaie pas de te dérober. Tu n'as
pas répondu à ma question !

— Quelle question ?

Simone dut prendre sur elle-même, pour répéter :

— Tu es amoureux d'elle, n'est-ce pas ?

Sa voix tremblait, et une crainte passa dans son
regard. Nicholas revoyait tout ce qu'ils avaient repré-
senté l'un pour l'autre. Il se rappelait comment leur
passion commune pour la musique avait consolidé
leur amitié. Il savait comment elle était parvenue à
reconstituer pour lui un monde musical pour lequel il
avait perdu tout espoir... Il savait que leur intimité ne
pouvait pas être brisée du jour au lendemain...

— Mon petit papillon, dit-il, en usant de ce dimi-
nutif qu'elle pensait ne plus jamais lui entendre prononcer, tu ferais mieux de garder pour la scène tes
talents dramatiques ! Il est vraiment ridicule de
remuer ciel et terre pour une broutille ! Pense un peu :
toi, tu vis en France, mais elle sera partie au prin-

temps. Tu ne m'avais jamais reproché, jusqu'ici, de m'intéresser à mes élèves. Qu'est-ce qui te prend, maintenant ?

— Je suis désolée, Nicholas, dit-elle. Je suis fatiguée. C'est une pauvre excuse, mais je ne t'avais jamais vu aussi préoccupé par une élève.

— Je n'avais jamais eu d'élève américaine. Elle est différente, je dois le reconnaître. Elle m'intrigue, c'est vrai. Mais elle n'est pas toi. Rien ne peut changer entre nous. Maintenant nous allons dîner agréablement et nous préparerons notre voyage en Grèce.

— Est-ce que je peux avoir un autre verre d'alcool d'abord ? demanda-t-elle.

— Naturellement.

— Tu viens t'asseoir près de moi, sur le canapé ?

— Si tu veux.

Il la resservit et reprit du whisky. Il lui entoura les épaules.

— Tu te sens mieux ? demanda-t-il.

— Oh oui ! murmura-t-elle en se blottissant contre lui. Je suis vraiment stupide ! J'exagère...

— Les femmes sont toujours excessives... C'est un de leurs charmes !

— A toi de choisir le restaurant, fit-elle joyeusement.

— Parfait.

— Où allons-nous ?

— Chez *Maxim's,* bien sûr.

Elle était ravie. Il l'aida à enfiler son manteau et passa le sien.

Durant la soirée, il manifesta les plus grands égards et multiplia les gentillesses.

Quand elle se retrouva seule dans le taxi qui la

ramenait chez elle, Simone se rendit compte, avec un cuisant sentiment de jalousie, qu'il n'avait pas plus nié qu'admis qu'il était amoureux de Shana Morgan... Finalement, il n'avait pas répondu à sa question !

CHAPITRE VII

Shana n'avait jamais travaillé aussi dur de sa vie. Refusant les invitations de Philippe, elle passait tous ses moments de libre devant son piano. Rentrée chez elle, elle était trop fatiguée pour se préparer un repas : elle se glissait dans ses draps, prête à affronter une nouvelle journée de labeur !

Philippe lui fit remarquer qu'elle maigrissait, qu'elle perdait ses joues, qu'elle ferait bientôt pitié ! Elle se contenta d'en rire : elle vivait de la seule manière qui, pour elle, donnait un sens à sa vie...

L'hiver avait cessé de faire peser sa chape de plomb sur Paris, et les premiers signes timides du printemps se faisaient sentir. De petits bourgeons perçaient sur les branches que Shana apercevait de sa fenêtre. Les oiseaux étaient revenus et gazouillaient joyeusement. L'air commençait à embaumer. Elle prit l'habitude de jouer dans la sacristie toutes fenêtres ouvertes, pour humer le parfum du printemps.

On avait atteint la mi-mars, et Shana était satisfaite de ses progrès. Nicholas n'avait pas ménagé son temps, ses conseils et ses encouragements. Après chaque leçon, ils prenaient le thé ensemble, en étudiant minutieusement les partitions, en raffinant l'interprétation. Chacun argumentait, donnait son opinion : leurs contradictions étaient souvent balayées par un grand fou rire ! Shana ne vivait que pour ces heures qu'elle passait en compagnie de Nicholas...

Nicholas ne s'était plus confié à elle. A la réflexion, cette expérience avait été très éprouvante pour Shana. Elle préférait, de loin, le tour amical que prenait maintenant leur relation.

Avec beaucoup de discrétion, Simone gardait un œil sur eux. La dévotion, dont Nicholas entourait son éleve, ne l'inquiétait pas vraiment ; mais elle ne pouvait nier qu'une transformation s'était opérée en Nicholas. Il semblait avoir rajeuni, comme s'il goûtait seulement alors l'essence de sa vie, ce qu'elle n'avait pas réussi à lui redonner. Mais il ne paraissait pas avoir perdu son intérêt pour elle : Simone savait qu'elle faisait partie de Paris et de sa vie, tandis que la jeune Américaine serait bientôt de retour dans son pays. Elle aurait, enfin, Nicholas, pour elle toute seule ! Il lui suffisait d'un peu de patience...

Tous ces derniers jours, Shana avait consacré tout son temps au piano, préparant son concert avec soin, ne cessant de répéter les passages les plus délicats. Maintenant, quand elle franchissait la porte de l'immeuble de Nicholas, elle marchait d'un pas léger, sûre d'elle-même et de son travail. Elle exécutait entièrement ses morceaux et se retournait, toute souriante, vers le maître.

Mais ce jour-là...

— Je vais annuler votre récital, hurla Nicholas, si vous continuez à jouer avec autant d'amateurisme et d'insensibilité !

— Amateurisme ? Insensibilité ? balbutia-t-elle.

— Est-ce que vous êtes sourde ?

— Je vous demande pardon...

Elle était abasourdie. Alors que tout semblait souriant autour d'elle, par ce merveilleux printemps, cette soudaine colère était si déplacée !

— Cela ne change rien de vous excuser ! Je n'ai été que trop patient avec vous !

— Je vous en prie, soyez plus précis ! demandat-elle, d'une voix mal assurée, le regard égaré.

— Est-ce que vous ne comprenez pas l'anglais ? En tout cas, vous ne comprenez pas la musique que vous croyez interpréter !

— Que voulez-vous dire ? le phrasé ? la puissance ? le doigté ?

— Ne jouez pas les techniciennes avec moi ! lança-t-il avec mépris.

— Mais, je fais de mon mieux.

— Vous n'êtes pas à la hauteur !

Elle lui lança un regard éperdu. Etait-ce bien le même homme qui lui avait déclaré que ce serait un privilège pour lui d'être son professeur ?

— Ce que vous me dites est terriblement frustrant ! rétorqua-t-elle.

Il répondit, un rictus déformant sa bouche :

— Et vous, vous n'êtes pas frustrante, peut-être ?

— Je n'en sais rien ! s'écria-t-elle, en perdant tout contrôle d'elle-même. Si je le savais, je ne le serais pas. Comment voulez-vous que je modifie mon interprétation, si vous ne me dites rien...

— Vous jouez avec trop de facilité, de désinvolture... Cela manque d'âme !

Shana revit les heures interminables qu'elle avait passées à la sacristie de Saint-Christophe... heures

qu'elle aurait pu passer à découvrir la capitale, à se
prélasser au soleil, à se promener dans le jardin du
Luxembourg en compagnie de Philippe. Et voilà tous
ses sacrifices, toute sa discipline de fer, réduits à rien,
parce que son interprétation était coupable de facilité !

— Eh bien, parfait, admit-elle. Puisque je ne
mérite pas une soirée pour moi seule, je jouerai avec
les autres, au cours du concert collectif.

— Qui a jamais dit que vous en seriez même capable ? fit-il sur un ton sarcastique. Il se peut bien que je
vous renvoie dans votre cher Ohio, sans plus de cérémonie !

Cette perspective fit pâlir la jeune fille : elle ne se
laisserait pas humilier par ce tyran ! Elle serra les
poings, pour empêcher ses mains de trembler.

— Si vous le faites, cela ne flattera guère votre
perspicacité musicale, railla-t-elle, avec calme.

— Que voulez-vous dire ?

— Vous allez vous ridiculiser... Le grand Nicholas Rubinsky aurait accordé tout son temps et son précieux enseignement à une jeune Américaine, pour
découvrir au bout de quelques mois qu'elle n'est
même pas digne d'une audition publique !

Il haussa les épaules.

— Je dirai simplement que vous n'avez pas tenu
vos promesses, si seulement on me pose la question,
ce dont je doute.

— C'est trop injuste ! Vous ne me laissez même
pas une chance !

— Voyons, dit-il, en se caressant la barbe. Nous
sommes en mars, vous êtes arrivée en septembre...

Cela fait, me semble-t-il, vingt-huit semaines de chance...

— Mais enfin pourquoi ne pas m'avoir indiqué plus tôt mes défauts ?

— Il me semble l'avoir fait lors de notre toute première leçon...

Elle ferma les yeux et se souvint, en effet, de cette phrase mettant en cause son manque de maturité...

— Ainsi donc, vous me laissez tomber, gémit-elle. Je ne reconnais plus celui qui m'a fait découvrir Versailles, la veille de Noël... qui m'a fait oublier ma solitude...

— Cela n'a rien à voir, trancha-t-il, après une hésitation.

— Vraiment ? insista-t-elle. Vous savez ce que je pense ? Vous vous en moquez probablement, mais je le dirai quand même. Vous évoquez des frustrations, mais celles que vous exprimez ne sont pas les véritables ! Vous manifestez votre mauvaise humeur, simplement parce que votre carrière s'est achevée prématurément et que la mienne commence... Et ne vous imaginez pas que je sois disposée à y renoncer, Nicholas Rubinsky, car je n'y renoncerai jamais ! Vous vous défoulez sur moi, simplement parce que je suis la plus vulnérable !

Il y eut un silence de glace.

— Je crois que vous feriez mieux de partir, dit-il, les mâchoires serrées. Personne n'a le droit de me parler sur ce ton. Personne ! Pas même vous !

— Pas même moi ? répéta-t-elle. Je pensais que je n'étais même pas digne que vous me prêtiez attention, pas même digne de votre mépris, monsieur Rubinsky...

— Ecoutez, je vous avertis... fit-il, en pâlissant.

Des gouttes de sueur perlaient sur son front.

— Vous m'avertissez de quoi ? Je croyais que j'étais trop sotte pour comprendre vos conseils.

Shana haletait, comme si elle avait couru et qu'un long chemin lui restât à faire encore...

— Si mon interprétation est un contresens, faites-moi vos suggestions, critiquez-moi, continuez à vous montrer brutal, mais je vous en supplie, Nicholas, aidez-moi !

— Je ne peux pas. Je ne peux pas vous donner ce dont vous manquez. Vous ignorez l'amour, l'égarement, le désespoir !

— Ce n'est pas vrai ! lâcha-t-elle. J'aime Philippe !

Une expression de détresse absolue déchira le visage de Nicholas, qui effraya Shana.

— Je croyais... qu'il n'y avait... que de l'amitié entre vous, balbutia Nicholas.

— L'amitié devient souvent de l'amour, dit-elle obstinément.

Les paroles de Shana étaient maladroites mais la jeune fille était trop occupée à résister à cet homme décidé à l'anéantir.

— Je suis ici pour recevoir une leçon de musique, reprit-elle, à mi-voix. Est-ce que ma leçon est finie ?

— Vous vous dérobez ! rétorqua-t-il, les yeux brillant maintenant de colère.

— Non, je ne suis pas Heidi ! Ne comptez pas que je parte de cette pièce en larmes... quoi que vous disiez !

— Vous me croyez cruel ? fit-il d'une voix soudain adoucie.

— Peu importe ce que je pense de vous. Je suis

votre élève... peut-être une mauvaise élève... mais vous êtes mon professeur. Faites votre métier !

En fixant Shana, assise avec raideur sur son tabouret, Nicholas se demandait la raison pour laquelle il s'était si violemment emporté. Simone aurait-elle raison en lui disant qu'il était devenu amoureux de Shana ?... Et cette dernière qui se déclarait amoureuse de Philippe !

Ils étaient dans une impasse : il fallait que l'un ou l'autre cédât. « Je ne m'avouerai jamais vaincue ! » semblait dire Shana, assise à son piano.

Devant sa jeunesse et sa vulnérabilité, la colère de Nicholas commença à s'éteindre. Il savait bien que Shana n'était pas la cause directe de sa mauvaise humeur. Il s'était montré injustement cruel à son égard.

— Recommencez la sonate de Beethoven, ordonna-t-il, d'une voix ferme. Le deuxième mouvement.

Shana n'osait croire qu'il avait cédé. Elle concentra, à nouveau, toute son attention sur la partition. Quand elle eut achevé la première partie du mouvement, il se contenta de dire sèchement :

— Recommencez.

Sans un mot, elle répéta le même morceau et peu à peu, guidée par lui, elle mit au point une interprétation qui leur donna satisfaction. Pendant deux heures, il travailla le morceau avec elle, mesure par mesure. Au bout d'un moment, à force de se concentrer, d'exécuter ce qu'il suggérait, de réfléchir à tout, Shana eut l'impression d'être à la torture ! Il la punissait ! Elle en était certaine ! Mais elle était trop occupée par le mouvement de ses doigts, pour y prêter une réelle attention...

Finalement, elle était arrivée au bout de toute la sonate.

— Comment vous sentez-vous maintenant ? demanda-t-il.

Elle poussa un soupir.

— Mieux.

— Parfait, dit-il, avec un petit sourire. Est-ce que cela vous suffit comme leçon ? demanda-t-il, ou voulez-vous essayer Skriabine ?

Se moquait-il d'elle ? Avait-il oublié leur querelle ?

— La prochaine fois, peut-être..., suggéra-t-elle faiblement.

— Vous avez raison, c'est assez pour aujourd'hui. Mon Dieu ! c'est déjà l'heure du thé ! Accepterez-vous d'en prendre une tasse ?

— Pas aujourd'hui. Je vous remercie. J'ai... un rendez-vous.

Le visage de Nicholas s'assombrit, mais il ne cessa pas de sourire. Ce faux enjouement déchira le cœur de Shana. « Non, c'est moi qui l'ai décidé, pensa-t-elle, et je ne veux pas rester. Que va-t-il me dire, sinon ? »

Elle se sentait abattue après cette dispute faussement oubliée... Qu'avait-il en tête, maintenant ?

— Mardi prochain ? demanda-t-elle.

— Non, lâcha-t-il. Revenez jeudi à trois heures, à condition, naturellement que vous n'ayez pas d'autres rendez-vous.

Elle ignora l'allusion, et comme il voyait qu'elle ne jouait pas le jeu, il se leva. Mimi entra avec un plateau et deux tasses.

— Je viendrai jeudi, dit-elle, en se retirant sous le regard pesant de Nicholas.

Quand Mimi eut quitté la pièce, Nicholas se rassit dans un fauteuil et, restant dans l'obscurité de cette fin d'après-midi, il appuya lourdement sa tête sur le dossier. Jamais il n'avait été envahi d'une telle angoisse !

En se retrouvant dans la foule des boulevards, Shana eut l'impression d'errer dans un brouillard. Elle se rendit compte alors que ses yeux étaient pleins de larmes. Elle hésita, devant la bouche de métro, à se lancer dans le flot des voyageurs. Bien qu'elle eût plusieurs kilomètres à faire pour rejoindre son quartier, elle décida de rentrer à pied.

— Tout en cheminant, elle ne cessa de ressasser cette violente dispute : peut-être avait-il raison ? Elle n'avait pas atteint le meilleur d'elle-même. Mais elle ne comprenait pas comment il avait pu lui promettre un récital en soliste, lui faire des louanges, multiplier les cours supplémentaires, s'il n'avait pas vraiment cru en elle ? Cette question la mettait au supplice !

Pourquoi avait-elle menti à propos de Philippe ? Pour apercevoir cette ombre sur le visage de Nicholas ? Pourquoi s'était-elle servie de cette arme de vengeance ?

Peu importait ! A la fin de juin, elle aurait retrouvé son pays... Elle ne comptait pas pour Nicholas : l'année suivante, il serait préoccupé par une autre élève...

Mais ce raisonnement ne calmait pas sa souffrance. Elle se sentait malheureuse, incomprise. Elle eut envie de faire ses bagages et de rentrer aux Etats-Unis.

Quand elle arriva enfin dans sa rue, la nuit était tombée. Elle ne se sentait pas le courage d'affronter Philippe. Elle allait lui demander de rentrer chez lui. Elle prétexterait une fatigue soudaine. D'ailleurs, ce n'était pas mentir : elle n'avait qu'une idée : sombrer dans le sommeil pour oublier la scène qui venait d'avoir lieu.

Dès que Shana eut poussé la porte de l'immeuble, le visage de fouine de la concierge apparut à la loge, comme si elle l'avait guetté :

— Il y a votre petit ami, là-haut !

Shana était trop fatiguée pour répondre aux allusions désagréables de cette femme, et elle se contenta d'un regard méprisant, avant de prendre l'ascenseur.

« Il ne restera pas très longtemps », pensa Shana, en montant dans l'ascenseur.

En ouvrant sa porte, Shana trouva Philippe sommeillant sur le divan. Dès qu'il l'entendit, il se leva aussitôt. Son sourire s'éteignit quand il vit le visage décomposé de Shana.

— Ta leçon s'est mal passée ? demanda-t-il, en la prenant dans ses bras.

Shana se trouva lâche, mais elle avait besoin de réconfort et elle céda à la tendresse de son ami.

— Viens t'asseoir ici, fit-il doucement en l'attirant sur le divan.

Malgré elle, elle s'abandonna aux confidences...

— Et enfin il m'a invitée à prendre le thé avec lui ! conclut-elle, comme si rien ne s'était passé...

— Oh Shana ! j'avais tellement espéré que tu ne souffrirais pas à cause de lui... Il se conduit toujours ainsi avec ses élèves. J'ai essayé de te prévenir, il y a longtemps, mais tu n'as jamais rien voulu entendre...

Ce n'est pas un reproche, mais maintenant tu sais ce qu'il est réellement, sous des dehors charmeurs.

De crainte de le blesser, Shana garda le silence. Elle se laissait nimber dans une brume de gentillesse et d'affection.

— Tu es une fille épatante ! murmura-t-il affectueusement, en lui caressant tendrement les cheveux. Personne n'a le droit de te maltraiter comme l'a fait cet individu.

Shana se tourna vers Philippe qui lui souriait. Après cette leçon catastrophique, sa compagnie lui était réconfortante.

— Shana, je suis venu pour te demander quelque chose, déclara Philippe, avec une excitation contenue.

— Philippe, je suis trop fatiguée, gémit-elle. Est-ce que cela ne pourrait pas attendre demain ?

— Non, répondit-il, avec insistance. C'est trop important. Tu dois m'écouter jusqu'au bout. J'espère que ce que j'ai à te dire te fera autant plaisir qu'à moi.

Shana ne se sentait pas la force de l'arrêter, et son silence encouragea le jeune homme.

— Je sais depuis longtemps la nature de mon sentiment à ton égard, commença-t-il. Mais j'ai préféré attendre, réfléchir avant de prendre une telle décision. Aujourd'hui, je n'ai plus aucune raison de me taire plus longtemps : j'aurai ma licence en juin, j'ai un travail qui m'attend, et, bien que je sache que c'est beaucoup demander à ta famille que de vouloir qu'elle t'abandonne à un vagabond comme moi, je ne peux plus imaginer ma vie sans toi ! Shana ! dis-moi oui !

— Oui à quoi ? demanda-t-elle dans un souffle.

— Accepte de devenir ma femme ! cria-t-il, les yeux pleins d'un espoir fou.

— Et mes études musicales ? demanda-t-elle, d'une petite voix.

— Il n'y a aucune raison d'y renoncer. On arrivera à se débrouiller. Je sais que ce ne sera pas commode, mais si nous avons assez de volonté, nous y parviendrons.

Comme elle ne répondait pas sur-le-champ, Philippe insista :

— Eh bien, qu'en dis-tu ?

Les pensées se bousculaient dans la tête de Shana. Elle ferma les yeux. Elle n'était pas réellement surprise par sa demande en mariage. Elle s'était rendu compte que Philippe était de plus en plus profondément amoureux d'elle.

N'avait-elle pas affirmé elle-même, cet après-midi, à Nicholas, qu'elle aimait Philippe en retour ? Etait-ce vrai ? Elle ne pouvait nier son attachement au jeune homme... C'était un ami très sympathique. Il avait de nombreuses qualités : compréhensif, attentif, affectueux... Mais voyait-elle assez clair dans ses sentiments pour lui donner une réponse ? Etait-elle amoureuse de lui ?

Il attendait patiemment, en essayant de dissimuler son inquiétude. Elle savait qu'elle pouvait s'appuyer sur lui : c'était un garçon de confiance, et s'ils se mariaient, ils pourraient construire solidement une vie commune, fondée sur l'estime mutuelle...

— Je t'aime, Shana, murmura-t-il.

Cet aveu insistant n'en augmentait que plus le sentiment de culpabilité qu'éprouvait Shana. Car elle sentait, en elle-même, une réticence : il y avait la musique, et elle savait que ce serait entre eux un insurmontable obstacle. Non, ce n'était pas de l'amour qu'elle éprouvait finalement pour lui !

— Je ne veux pas te faire de mal, dit-elle d'une voix brisée. Mais je ne peux pas t'épouser. Je suis désolée, Philippe.

— Mais, pourquoi ? demanda-t-il, stupéfait.

— Toute ma vie, j'ai voulu devenir musicienne. Rien ne m'a jamais détournée de mon but. Je suis trop égoïste, trop obsédée par cet objectif, pour avoir d'autres projets dans l'immédiat.

— Mais je n'ai jamais empêché ton travail... protesta-t-il.

— Non. Mais un jour ou l'autre la musique se dressera entre nous deux et nous déchirera.

— Mais pourquoi es-tu si pessimiste ? demanda-t-il, soupçonneux. Ah ! je comprends : c'est à cause de Nicholas Rubinsky, allons, dis-le ! Tu es tombée amoureuse au premier regard ! Tu aurais pu au moins avoir la décence de me le dire tout de suite !

— Non ! hurla-t-elle.

— C'est ça ! Continue à mentir ! Fais comme si tu ne l'aimais pas !

— Je ne l'aime pas, dit-elle d'une voix étouffée.

— Tu n'es pas très convaincante, Shana, répondit-il rudement. Tu es une fille intelligente. Est-ce que tu ne comprends pas que ton beau rêve romantique est sans espoir ? Nicholas Rubinsky, un monstre d'égoïsme : tu n'aurais pas la moindre place dans sa vie !

Il s'arrêta un instant pour reprendre son souffle et poursuivit :

— J'ai essayé de te le faire comprendre, le plus gentiment possible. Mais tu n'as pas voulu m'écouter.

Nicholas appartient à Simone ! Te crois-tu de taille à rivaliser avec elle ?

— Mais enfin, Philippe, on est la propriété de personne !

— Eh bien, si tu préfères, Nicholas est le compagnon idéal pour Simone, comme je le suis pour toi ! Je ne peux pas énoncer les choses plus clairement. Et cesse de rêver !

— Philippe, je t'en supplie, sois patient avec moi. Tout est très confus dans mon esprit, maintenant.

— Je pense qu'il vaut mieux que je m'en aille, dit-il, à bout d'arguments.

Et il sortit en faisant claquer la porte derrière lui.

« Décidément, quelle journée ! » pensa tristement Shana. Elle semblait avoir tout fait pour les provoquer tous les deux... Mais y avait-il du vrai dans les déclarations de Philippe ? Ou se contentait-il de chercher un prétexte pour l'éloigner de Nicholas ?

Ce qui la tourmentait le plus était de savoir qu'elle torturait Philippe, au moment même où elle aurait eu besoin de son amitié. Elle avait eu le chic pour mettre en rage son professeur et faire une scène à son meilleur ami...

C'est elle qui avait eu tort de ne pas décourager tout de suite Philippe : elle ne l'aimait pas comme il entendait être aimé. Ce n'était qu'un frère pour elle. Quand elle se trouvait entre ses bras, c'était à Nicholas qu'elle pensait avec passion ! Pouvait-on exiger de Philippe qu'il comprît cette attitude ?

Shana contempla, par la fenêtre, les lumières du boulevard, de l'autre côté de la Seine...

« Shana Morgan n'avait pas choisi la meilleure

voie pour conquérir Paris ! » songea-t-elle avec amer-
tume...

Elle donna libre cours à sa peine, éclatant en sanglots. Il lui était devenu impossible de refuser la
vérité ! Quand elle avait essayé de s'imaginer sa vie
avec Philippe, une ombre rôdait : celle d'un homme
orgueilleux et insondable, aux cheveux d'ébène et au
regard ardent...

Elle était éperdument amoureuse de Nicholas
Rubinsky ! Elle avait eu beau se détourner artificielle-
ment de lui, il n'était plus question de nier ses sentiments : elle était sous le charme de cet homme exceptionnel !

« Je t'aime, Nicholas ! clama-t-elle. Malgré tes
exigences, malgré tes caprices, je t'aime ! »

Ses sanglots redoublèrent dans la solitude de son
minuscule studio.

« Et tu en aimes une autre ! »

CHAPITRE VIII

Le printemps parisien resplendissait dans toute sa gloire. Les marchands des quatre saisons étalaient leurs fruits, leurs légumes et leurs bouquets de fleurs épanouies, aux coins des rues, sous un soleil brûlant.

Shana semblait ne pas même s'apercevoir de la métamorphose extérieure de la capitale. Préoccupée par son seul désespoir, la musique était son seul refuge. De quoi souffrait-elle le plus? De l'éloignement glacé de Philippe ou de l'indifférence hautaine de Nicholas?

Philippe ne l'avait plus rappelée... Elle aurait aimé s'expliquer davantage avec lui. Mais devant son silence, elle avait pensé que c'était peut-être mieux ainsi.

S'il l'avait fait souffrir par ses allusions à Nicholas, elle l'avait profondément blessé en retour. Elle se retrouvait sans personne à qui se confier.

Elle aurait aimé libérer ces émotions qui l'habitaient. Et le meilleur confident, à ses yeux, restait Nicholas.

« Philippe est donc amoureux de moi et moi, je le suis de vous... Nous formons une chaîne, nous détournant les uns des autres, chacun amoureux d'un

autre… et nous prenant tous en pitié… Oh ! cher Maître ! voyez-vous un remède ? »

Nicholas aurait bien ri à ses dépens ! Maintenant
qu'elle avait vu la vérité en face, elle ne pouvait plus
l'arracher à son esprit. A quoi servait-il de raisonner
abstraitement ? L'amour l'avait prise dans ses filets…
L'ironie du sort voulait que ce fût cet homme même
qui l'avait fait pénétrer dans son monde magique, qui
maintenant l'en excluait…

C'était décidément un sentiment bien déconcer-
tant que de devoir rencontrer quotidiennement cet
homme à la fois complètement familier et pour elle
devenu un étranger.

Shana ne s'était pas doutée qu'en s'éloignant
d'elle, Philippe laisserait un tel vide derrière lui. Et
quand elle se promenait le long des quais, la vue de
jeunes amoureux enlacés la déchirait cruellement.

Elle avait essuyé une averse en se rendant, ce
jeudi-là, chez Nicholas. La pluie printanière rafraî-
chissait agréablement l'atmosphère, donnant de
l'éclat à la grisaille des immeubles et de la chaussée, et
ravivant la verdure et les feuillages naissants. Ce
renouveau de la nature n'altérait pas sa tristesse…

Nicholas la laissa s'asseoir au piano, sans lui
adresser la parole. Elle ne pouvait savoir à quel point
elle l'émouvait, avec ses cheveux dorés ruisselants,
son expression de résignation, son regard assombri.
S'il lui avait avoué la nature de ses sentiments, elle ne
l'aurait pas cru.

Les déclarations de Simone l'avaient affecté, et il
avait tenté de s'analyser honnêtement. Il était parvenu
à la triste conclusion qu'il n'avait rien à offrir à
Shana, et qu'il n'essaierait plus de briser le silence qui

les séparait depuis ce désastreux après-midi de mars...

— Ce n'est pas mal, commenta-t-il froidement comme elle venait d'achever un morceau. Votre interprétation se fait plus nuancée.

Shana s'apprêtait à partir, désormais habituée à la sobriété de ses commentaires, les yeux baissés. Mais, pour sa plus grande surprise, elle l'entendit lui demander :

— Accepteriez-vous de dîner avec moi ?

Cette proposition, formulée avec le plus grand naturel, stupéfia Shana. Ils s'en étaient tenus, jusqu'alors, à des relations très formelles entre professeur et élève... Mais comment pouvait-elle refuser alors qu'elle mourait d'envie d'accepter !

Après un court silence gêné, elle répondit :

— Oui, c'est une excellente idée.

— Dans ce cas, venez !

En se levant, il fit une grimace de douleur.

— Vous ne vous sentez pas bien ? demanda-t-elle, spontanément, en regrettant aussitôt son indiscrétion.

— Je vais très bien. Mais je suppose que c'est l'âge..., ajouta-t-il avec un sourire ironique et blasé.

« Vous n'êtes pourtant pas plus vieux que moi, de bien des points de vue ! pensa-t-elle. Vous aussi, vous obéissez à une discipline de fer... Mais il y a des émotions contre lesquelles il est vain de vouloir lutter. »

Elle n'eut évidemment pas le courage d'exprimer ces pensées à voix haute. Elle se contenta de le suivre, sans un mot, dans le salon.

La pluie fouettait les vitres. La brume voilait Montmartre : ce Sacré-Cœur où elle avait connu un tel bonheur ! Depuis ce sixième étage, on avait l'impression de flotter au-dessus de la capitale...

Ç'aurait pu être une sensation enivrante, romantique ! Mais la tristesse seule dominait l'âme de Shana...

Il s'assit dans un fauteuil face à elle.

— Je voulais vous parler, commença-t-il, en dehors de cette salle de musique.

Le cœur de Shana battait déjà à tout rompre.

— Nous sommes en avril déjà, continua-t-il. Votre concert a lieu dans seulement quelques semaines. Nous devons parler des préparatifs. Et de votre avenir. Avez-vous déjà pensé à ce que vous voudriez faire quand vous rentrerez dans votre pays ?

— Non.

Elle était déçue par son ton formel et son simple intérêt professionnel.

— Avez-vous songé à devenir enseignante ? J'ai réexaminé dernièrement votre dossier et j'ai vu que vous aviez une maîtrise d'enseignement. Vous devriez pouvoir trouver un poste dans une université.

— Je ne veux pas être professeur, répondit-elle sèchement. Je veux donner des concerts publics !

— Ce n'est pas une vie normale, Shana. Nombreux sont les jeunes musiciens, talentueux, qui veulent faire une carrière de concertiste. Vous ne l'ignorez pas, beaucoup échouent. Etes-vous sûre d'être prête à faire les sacrifices nécessaires ?

Sans attendre sa réponse, il poursuivit :

— La musique est une passion accaparante, exigeante ! Vous devrez renoncer aux plaisirs ordinaires auxquels ont droit tous les autres. Vous vivrez toujours hors de chez vous, entre deux avions, d'une chambre d'hôtel à l'autre... Vous vous lasserez vite du régime des restaurants ! Etes-vous prête à affronter des salles à demi vides jusqu'à ce que vous vous soyez fait un nom ? A jouer le jeu de la compétition ? A passer des années sur la touche, à risquer de voir vos espoirs non récompensés ? A ne parvenir à aucune relation personnelle véritable ? A ne pas pouvoir vous réaliser pleinement ?

— Les choses ne se passeront pas ainsi, rétorqua vivement Shana. Je pense que je peux mener de front une vie personnelle et une carrière. Je ne vise pas la première place parmi mes contemporains ! Mais, Nicholas, j'aime Beethoven, Bach, Schumann, et j'essaierai de les servir du mieux possible. Cela ne m'empêchera pas d'être une femme aimante et une mère attentive.

Il cherchait son regard, comme pour déceler la vérité.

— Qu'est-ce qui vous le fait penser ? demanda-t-il sans aucune ironie.

— Je sais depuis longtemps que je ne peux faire autrement, dit-elle calmement. C'est mon destin ! Le chemin qui m'a été tracé sans mon consentement...

— Non et non ! C'est vous-même qui devez prouver que vous avez le courage d'aller jusqu'au bout. C'est à d'autres que moi que vous pouvez tenir ce langage !

— Pourquoi devrais-je me justifier devant vous ?

— Parce que je suis votre professeur, fit-il obstinément. Et ce ne serait pas un service à vous rendre, que de ne pas éprouver la fermeté de vos intentions. Est-ce que vous préféreriez que je me taise et que vous vous rendiez compte dans cinq ans que vous avez fait un choix erronné ? Que vous êtes affreusement malheureuse et qu'il n'est plus possible de rattraper le temps perdu ?

— Ecoutez, je suis assez grande pour en juger moi-même. Je suis venue toute seule à Paris, je pense que cela indique une certaine force de caractère. Est-ce que vous-même, ajouta-t-elle avec un regard plein de défiance, vous avez jamais regretté le tour que vous avez donné à votre vie ?

— Non, avoua-t-il.

— Avez-vous jamais eu des doutes, Nicholas ?

— Souvent. Des doutes déchirants. Jusqu'à mon accident en Italie, je me suis demandé si je méritais les louanges dont j'étais couvert... C'était comme si un autre les avait gagnées à ma place. J'étais un imposteur, et cette autre personne se révélerait au dernier moment pour réclamer son dû et prendre ma place.

Il sourit avec nostalgie et regarda dans le vide d'un air égaré.

S'il voulait donner sa vie en exemple, Shana se dit qu'elle était autorisée à lui demander plus de détails.

— Mais vous avez réussi à établir des relations durables ! insista-t-elle.

— Que voulez-vous dire ?

— Eh bien, il y a Simone. Sa famille. Vos autres amis, à Paris.

Nicholas crispa légèrement les lèvres avant de répondre :

— Simone a sa propre carrière. Elle aurait, du reste, été peut-être un meilleur point de comparaison que moi. Simone et moi, ajouta-t-il dans un souffle, n'entretenons pas une relation exemplaire. Elle a été nécessaire pour tous les deux, mais cela n'a rien à voir avec un vrai mariage, où deux êtres partagent entière-

ment leur vie quotidienne et entretiennent une
confiance mutuelle. Vous êtes profondément déprimée par votre rupture avec Philippe, Shana. Cela se
lit sur votre visage.

Elle rougit, gênée de se trahir. C'était vrai : sa dispute avec Philippe l'avait perturbée, mais ce n'était
rien en comparaison de ce qu'elle éprouvait à l'égard
de Nicholas !

— Eh bien, cette expérience me donnera peut-être
la maturité que vous me reprochiez de ne pas avoir,
rétorqua-t-elle froidement.

Il préféra ignorer cette allusion et déclara gentiment :

— Simone m'a dit qu'elle ne parvenait pas à faire
entendre raison à Philippe. Je l'aime beaucoup et je
suis désolé pour lui.

— Mais pas pour moi. N'est-ce pas, Nicholas ?

— Je ne vous voyais pas mariée avec lui, si c'est ce
que vous me demandez.

Il ne lui révélait pas à quel point l'idée avait pu le
torturer !

— Pourquoi donc ? Suis-je laide à ce point ?
lâcha-t-elle aigrement.

— Bien sûr que non ! Vous savez très bien que des
hommes se disputeraient pour vous, Shana. Les occa-
sions ne manqueront pas !

— Je ne les cherche pas !

— Je le sais. Mais pour en revenir à notre sujet,
j'avais envie de vous parler, pour sonder la profondeur de votre ambition.

— C'est-à-dire ?

— Il se peut, en effet, que vous ayez ce qu'il faut

pour devenir une grande soliste. Je vous ai mise à rude épreuve... en partie pour vous tester.

— Voulez-vous dire que le test a été concluant ?

— Oui.

— En partie, dites-vous ? Quelle est l'autre raison ?

— Vous voulez toujours aller plus vite. Eh bien, en partie parce que je suis irascible, ajouta-t-il en souriant. C'est dans ma nature.

Quand elle plantait son regard violet dans le sien, il éprouvait un étrange émoi qui le mettait mal à l'aise. Il craignait qu'elle ne le remarquât.

— Venez, coupa-t-il. Le dîner est servi. Nous discuterons des détails de votre récital, après le repas.

Elle le suivit dans la salle à manger, où Mimi avait magnifiquement dressé le couvert. Il alluma les bougies et servit le vin. Mimi apporta la soupière fumante, qui fut suivie d'un bœuf bourguignon et d'une salade paysanne aux lardons.

Nicholas leva un toast :

— A un avenir brillant !

— Au *maestro* du monde occidental ! répondit-elle.

Ils trinquèrent de bon cœur. Nicholas se mit alors à évoquer le récital, il indiqua les morceaux qu'il fallait encore travailler, et suggéra même une toilette pour Shana pour le grand jour.

Shana se rendit compte soudain de l'incongruité de la scène : « Me voilà pensait-elle, en train d'écouter le seul homme auquel je désire appartenir, dans ce décor romantique, à Paris, au printemps... et il me dit comment je dois m'habiller ! »

— A quoi pensez-vous, Shana ? demanda Nicholas qui s'était aperçu de l'inattention de la jeune fille.

« Si je vous le disais, vous vous moqueriez de moi, pensa-t-elle, avec désespoir. Vous affirmez que je suis attirante, que je n'aurai que l'embarras du choix en amour... Mais le seul homme que j'aime ne sera jamais à moi ! »

— Parlez-moi ! insista-t-il. A quoi pensez-vous ?

— A Philippe, mentit-elle.

Pourquoi diable le narguait-elle de cette façon ? Elle y prenait même un certain plaisir ! Que lui arrivait-il ? Cette attitude ne lui était pas familière...

— Etes-vous sûre d'avoir pris la bonne décision à son égard ?

— Je ne sais pas, répliqua-t-elle, évasivement, en regrettant son mensonge. Dites-moi, Nicholas, avez-vous jamais eu une étudiante qui soit tombée amoureuse de vous ?

C'était dit ! La question avait fusé de ses lèvres ! La réponse serait déterminante, mais serait-elle sincère ?

— Je n'ai pas beaucoup de raisons d'être aimé, répondit-il simplement.

Il ne comprenait pas sa question.

— Pourquoi me demandez-vous cela ?

— Ignorez-vous que la plupart de vos élèves quittent leur famille, pendant toute une année, pour se retrouver seuls dans une chambre, perdus dans une ville immense ? L'unique point de repère pour nous, est votre salon de musique, vous et le piano ! Imaginez-vous qu'une élève souffre de la solitude, et cristallise sur vous des sentiments...

— Je suppose qu'une relation d'amour-haine est

parfois inévitable, coupa-t-il, en essayant de comprendre ce qu'elle cherchait à savoir.

Parlait-elle d'elle-même ? Bien que cette éventualité fût absurde, il ne pouvait tout à fait l'écarter.

— En général, ajouta-t-il, cela s'arrange très bien : la musique est une source de courage et de volonté.

— Vous ne voulez pas vous engager personnellement dans une relation sentimentale avec une élève, n'est-ce pas ? Quels que soient vos propres sentiments ? demanda-t-elle, hors d'elle-même. Et si j'allais vous dire que je suis désespérément amoureuse de vous, que répondriez-vous ?

Elle était stupéfaite par sa propre audace !

— Oh ! Shana ! lança-t-il presque avec dureté. Vous êtes trop adroite et trop déterminée, pour tomber amoureuse de moi ! Quel jeu jouez-vous ?

— Je voulais simplement savoir quelle serait votre réaction, c'est tout.

— Je comprends, répondit-il, avec une pointe de déception.

Les mots étaient au bout de sa langue : elle aurait voulu se déclarer, mais elle craignait de s'exposer à sa dérision... Elle s'en tiendrait à son attitude affectée d'élève respectueuse. Son amour-propre le lui commandait. Vraiment, elle ne lui offrait pas une image séduisante de sa personne !

Il écarta son fauteuil de la table.

— Venez dans l'autre pièce. Nous allons prendre un cognac.

— Je vous remercie, Nicholas. Mais je dois travailler tôt, demain matin, et il se fait tard.

Il la raccompagna jusqu'à la porte.

— L'année a été difficile pour vous, n'est-ce pas, Shana ? Et je n'ai pas été très compréhensif...

Elle sentait les larmes perler au bord de ses paupières, elle se sentait malheureuse, elle aurait tant voulu... Elle n'eut pas la possibilité de laisser aller ses pensées : Nicholas l'enserrait entre ses bras puissants, et lui caressa doucement les cheveux pour la consoler. Shana s'abandonna, heureuse de se sentir là, contre la poitrine de l'homme qu'elle aimait.

Elle leva son visage vers celui de Nicholas qui lui parut profondément tourmenté. Elle ne trouvait pas la force de se dégager de son étreinte. Tout, en elle, criait son amour pour lui ! Comment aurait-elle pu faire mentir son regard ? Il lui était impossible de détourner les yeux !

— Shana, vous tremblez ! fit-il remarquer brusquement.

Il pencha sa tête davantage, resserra son étreinte, et...

La sonnette de la porte d'entrée se fit entendre, ils se dégagèrent au moment même où Simone entrait.

— Une leçon à cette heure ? demanda-t-elle en leur jetant un regard perçant.

— J'ai invité Shana à dîner avec moi, expliqua Nicholas. Nous préparions son récital.

Mais le regard de Simone restait incrédule.

— Je viens de passer d'affreuses heures de répétition ! gémit Simone. Je suis assoiffée ! Prépare-moi un verre, je t'en supplie. Est-ce que je peux entrer ?

— Je t'en prie.

Simone, en passant près de Nicholas, mit son bras autour de sa taille.

— Vous nous accompagnez, Shana ? demanda-t-elle sur un ton mielleux. Nous allons discuter, Nicholas et moi, de notre croisière en Grèce…

Shana pâlit, et la bouche de Nicholas se durcit.

— Je partais. Merci, en tout cas…. Bonne nuit.

Elle n'osait plus lever ses yeux, pleins de larmes : elle savait que Nicholas et Simone l'avaient remarqué. Elle prit son manteau, et referma doucement la porte derrière elle. En se hâtant vers l'ascenseur, elle entendit des éclats de voix : Nicholas était furieux ! Mais qu'est-ce que cela changeait à sa détresse ?

Dans le brouhaha du trafic, Shana héla un taxi. Blottie sur la banquette arrière, elle pleurait à chaudes larmes. Le chauffeur la considérait avec étonnement dans le rétroviseur, mais n'intervint pas. Quand le taxi s'arrêta devant son immeuble, Shana avait essuyé ses larmes. Elle resta, figée, sur le trottoir, à observer les fenêtres de son appartement. Elle ne se sentait pas le courage de monter. Peut-être qu'un peu de marche lui ferait du bien… Elle avança, sans but précis, dans le quartier plongé dans l'obscurité.

La brise légère de printemps soufflait dans les frondaisons. Les étoiles scintillaient, cachées de temps à autre par des nuages… Quelques gouttes de pluie tombaient, mais elle n'y prêta pas attention. Elle croisa quelques passants : un marchand qui venait de fermer sa boutique, un employé de bureau pressé, deux étudiants qui chahutaient… Elle se sentait terriblement seule dans les rues désertes !

Au bout d'un moment, quelle ne fut pas sa surprise de se retrouver devant l'immeuble de Philippe ! levant la tête, elle vit que ses fenêtres n'étaient pas éclairées. Il n'était pas chez lui.

« Oh Philippe ! pensa-t-elle, j'aurais un tel besoin de ton amitié ! »

Le cœur serré, elle fit demi-tour. Mais, en passant, devant la masse orgueilleuse de l'église Saint-Christophe, elle sortit la clé de sa poche et pénétra dans la sacristie.

« Que d'heures de travail j'ai passées ici ! » pensa-t-elle. Elle se mit au piano et travailla les parties les plus difficiles de ses partitions. Peu à peu, son désespoir s'atténua…

Elle fit une pause pour se détendre les muscles des doigts. Elle repensa à sa conversation avec Nicholas. Après-tout, quelle importance si elle l'aimait sans être aimée en retour ? La musique serait son refuge et sa raison d'être ! Elle n'avait besoin de rien d'autre.

Mais ces arguments étaient sans poids… La musique avait beau être un moyen de communication privilégiée, ce n'était pas le seul ! Nicholas n'avait pas tort. Elle ne pouvait dissimuler ses problèmes relationnels derrière le prétexte de la musique. Shana poussa un soupir. Il était très tard, et elle se sentait lasse. Elle sortit de l'église et rentra chez elle. Quelle ne fut pas sa surprise de remarquer une lettre glissée sous sa porte. Elle reconnut l'écriture de Philippe !

« Shana,

Je t'ai attendue autant que je pouvais. Je pars en train ce soir avec ma famille, maintenant que mes examens sont terminés. Je voulais te parler. Je serai rentré pour ton récital. Souviens-toi que tu m'as promis de me réserver une chaise au premier rang. J'ai eu beaucoup de temps pour réfléchir à nous deux. Je crois que toi aussi tu as eu besoin d'un peu de solitude

pour réfléchir. A bientôt, dans quelques semaines.
                    Philippe. »

« Je n'ai que trop de temps pour réfléchir ! se dit Shana. Et rien ne me sourit. Pourquoi ne suis-je pas rentrée tout de suite à la maison, ce soir ? J'avais besoin de Philippe, et il était là à m'attendre ! Et moi, j'errais sous la pluie ! Oh ! Philippe ! »

Elle se persuadait qu'elle voulait sauver leur amitié, et la pensée qu'il serait présent pour son récital lui redonna du courage.

Mais pourquoi se sentait-elle désespérée ? Ne s'était-elle pas retrouvée dans les bras de Nicholas, il y avait quelques heures ? Alors, qu'avait-elle à se tourmenter ainsi ? Oui, il y avait eu la visite de Simone, et ce soi-disant voyage en Grèce... Mais, avec l'approche du récital, Shana verrait plus souvent Nicholas, pour ses leçons, et il se confierait peut-être davantage... Ils avaient encore sept semaines... Si seulement, Shana pouvait rester davantage à Paris !

Nicholas avait semblé surpris quand Simone avait évoqué leur croisière en Grèce. « Elle a dû en parler pour se débarrasser de moi ! pensa Shana. J'aurais dû rester, rien que pour l'ennuyer ! Je suis jeune, Simone Duvalier, mais j'apprends vite à sortir mes griffes ! »

Sept semaines ! Seulement sept semaines ! Il fallait savoir user du temps qui lui restait : coûte que coûte, Shana était bien décidée à mettre à nu les sentiments de Nicholas Rubinsky à son égard !

Elle repassa en mémoire, pour la centième fois, la conversation qu'ils avaient eue, lorsqu'ils s'étaient promenés en plein hiver, jusqu'à Versailles, la veille

de Noël... Même leurs disputes étaient magnifiées
dans son souvenir !

« Si je n'avais aucune importance à ses yeux, il ne
s'attaquerait pas à moi, comme il le fait ! Je ne le met-
trais pas dans de telles colères ! Je sacrifierais
n'importe quoi à la musique, Nicholas Rubinsky,
n'importe quoi sauf vous ! J'ai deux amours dans ma
vie, et ils sont inextricablement liés l'un à l'autre ! »

CHAPITRE IX

Simone avait mis tout son soin à préparer le dîner auquel elle avait invité Nicholas. Son intérêt pour la jeune Américaine avait suscité une violente jalousie : elle sentait que l'homme qu'elle aimait lui échappait... Elle choisit minutieusement les plats qu'il préférait. Certaine de son choix, elle renvoya ses domestiques : l'homme qui lui appartenait serait ravi, pensa-t-elle, d'être servi par la femme qui l'aimait.

Une heure et demie avant son arrivée, Simone se fit couler un bain de mousse où elle essaya de trouver un apaisement. Ses yeux noirs avaient un éclat qu'augmentaient son excitation et sa tension... Ses joues gagnaient des nuances ravivées. Elle resta interminablement devant le miroir, usant de tous les artifices qu'elle connaissait... Ce soir, elle devrait être irrésistiblement belle pour Nicholas ! Ce soir, elle lui appartiendrait !

Elle choisit une robe d'hôtesse simple, mais élégante, en soie noire, et se parfuma légèrement. Elle laissa ses cheveux onduler sur ses épaules, retenus simplement par deux peignes d'ivoire. L'image, que lui renvoya son miroir, rassura Simone : sa rivale n'était pas de taille !

Shana n'était qu'une gamine, malgré le peu d'années qui les séparaient. Elle, Simone, était une femme : avec toute la maturité, toute la séduction nécessaires ! Shana avait toute l'ambition aveugle des adolescentes ! Comment aurait-elle pu parler d'amour ? Cela n'avait rien à voir avec ce que Simone avait senti pour Nicholas, dès leur première rencontre...

Elle se rappelait la profondeur du regard de Nicholas : son orageuse beauté, son envie à l'égard du succès de Simone, son dépit à peine dissimulé. Elle savait qu'elle avait fait une carrière aussi réussie que la sienne : elle n'en faisait pas un secret. Ils s'étaient disputés : elle n'avait pas craint de le blesser, de le mettre à l'épreuve. Et puis le temps du pardon était venu et leur tendresse revenue.

Elle n'avait pas compris que cette accumulation de petites blessures avait fini par l'éloigner de lui. Il avait simplement conservé pour elle un reste d'admiration professionnelle et d'affection, sans parvenir à se détacher complètement d'une femme qui avait partagé beaucoup de ses souffrances mais pour laquelle il n'avait jamais éprouvé de sentiment profond.

Aveuglée par la vénération dont elle était l'objet sur scène, Simone n'aurait jamais soupçonné ce qu'elle inspirait à Nicholas ! Son orgueil lui interdisait d'envisager la possibilité même qu'il pût être touché par l'innocence séduisante de cette jeune Américaine calme. Comment aurait-il pu être fasciné par ce caractère déterminé, cet égoïsme de jeune ambitieuse ?

Nicholas arriva ponctuellement à vingt heures, et Simone vint l'accueillir, elle-même, à la porte. Elle le débarrassa de son manteau et le conduisit dans le salon, où ils s'assirent près de la cheminée dans les reflets pourpres des flammes.

Simone, drapée dans sa robe noire, croisa les jambes, et appuya nonchalamment la tête contre le dossier en poussant un soupir de bien-être.

— Comment vas-tu Nicholas ?

Il ne lui avait fait aucun compliment sur sa tenue, ce qui agaça quelque peu Simone, habituée aux louanges. Elle le sentait tendu.

— Très bien, je te remercie.

Puis il se renferma dans un silence glacé.

Simone essaya de le distraire avec d'amusantes anecdotes de la dernière répétition... Mais il semblait ne pas apprécier ses remarques spirituelles.

— Mais enfin, que se passe-t-il ? s'écria-t-elle, en s'interrompant au milieu d'une phrase. Tu ne m'écoutes pas !

— Mais si ! rétorqua-t-il. Tu me parlais de quelqu'un du chœur...

— Pas du tout ! Je te disais que le ténor gâchait notre duo... dit-elle sèchement, les yeux étincelants. Je suis désolée de t'ennuyer à ce point !

— Tu ne m'ennuies pas du tout, Simone, répliqua-t-il sur le même ton irrité. Mais tu es parfois trop préoccupée par ton petit monde...

— Je t'en prie, ne nous disputons pas, coupat-elle, en s'efforçant de rester calme. A quoi pensais-tu ? Dis-moi..., ajouta-t-elle en minaudant.

— Je me demandais à quoi ressemblerait ma vie si je n'avais pas eu cet accident de train en Italie...

— Oh ! mon pauvre chéri ! dit Simone, en s'asseyant près de Nicholas. Pourquoi te tortures-tu ainsi ? Le passé est le passé, ne pense qu'au présent, à nous deux...

Nicholas réalisa, à ce moment-là, le monde d'égoïsme qu'était Simone. Shana, elle, n'avait pas hésité à le secouer, pour qu'il comprît mieux ce que la vie pouvait encore lui offrir ! Simone, manifestement désintéressée des tourments intérieurs de Nicholas, ramenait tout à elle ! Elle n'avait jamais rien compris, ne comprendrait jamais rien !

— Tu m'accordes tellement peu de ton temps ! rétorqua-t-il, amer.

— J'y veillerai désormais, je te le promets. Si nous faisons cette croisière tous les deux en Grèce, je serai toute à toi...

Nicholas s'enfonça davantage dans son fauteuil en soupirant.

— Qu'y a-t-il ? demanda Simone, ulcérée par son manque d'enthousiasme. Est-ce la perspective de cette croisière ou ma compagnie qui te fait gémir... ?

— Les deux, avoua-t-il, prêt à affronter la vérité, au risque de se disputer. Je trouve l'hiver parisien tout à fait à ma convenance et je pense que le printemps sera tout aussi agréable.

— Dis tout de suite que tu veux rester avec cette stupide petite Américaine ! Cette gamine qui te vénère comme Dieu sur terre !

— Tu as peut-être raison, répliqua-t-il calmement. Mais tu te trompes peut-être aussi...

— Tu ne vas pas encore une fois me chercher noise ! lança-t-elle d'une voix qu'elle voulait enjouée.

— Pourquoi faut-il toujours que nous nous emportions, Simone ?

— C'est un tel bonheur de se réconcilier... Dis-moi que tu es heureux quand je suis dans tes bras, Nicholas.

Simone implorait presque.

— Et toi ?

— Oh Nicholas ! comment peux-tu me poser cette question ? Tu ne connais pas encore la réponse, fit-elle en se rapprochant de lui.

Nicholas se tenait dans un profond silence.

— Tu es difficile à vivre, Nicholas. Tu me gâches la soirée, et nous n'avons pas encore dîné !

— Je te coupe l'appétit ? demanda-t-il ironiquement. Pardonne-moi, s'il te plaît...

— Pourquoi te comportes-tu ainsi ? dit-elle d'une voix plaintive. Je me faisais une fête, ce soir ! avec champagne, un excellent dîner, puis quelques menus propos, tous les deux, assis au coin du feu...

Elle lui sourit faiblement et lui tendit la main.

— Viens, le dîner est prêt.

Elle le conduisit dans une grande salle à manger, où deux couverts avaient été disposés à l'extrémité d'une longue table. Il lui présenta une chaise et s'assit à son tour.

L'atmosphère se détendit quand ils commencèrent à manger. Ils évoquèrent des souvenirs communs, et, le champagne aidant, rirent de bon cœur aux anecdotes de Simone. Puis ils passèrent dans le salon pour le café.

Il était tard, et Nicholas commençait à ressentir une certaine fatigue. Il étouffa un bâillement, geste qui n'échappa pas à Simone.

— Tu préférerais être avec ta petite américaine, n'est-ce pas ? Avec ses grands yeux violets ébahis d'admiration... et ses minauderies pour te plaire ?

— Et si tu disais vrai ? lâcha-t-il, ulcéré par la provocation déplacée de Simone.

— Eh bien, tu serais un idiot ! répliqua-t-elle, en renversant sa tasse de café qui se répandit sur la moquette beige du salon.

— Je suis donc un idiot ! fit-il, avec une colère contenue. Que dire de toi, alors ?

— Ecoute, Nicholas, je suis désolée de devoir jouer ce rôle, mais il est de mon devoir de t'informer que Shana et Philippe comptent se marier — c'est Philippe, lui-même, qui me l'a annoncé. Ils ont même envisagé la date, après sa licence...

— Ce n'est pas possible !

Simone, qui jouait le tout pour le tout, éprouva une vive douleur à voir le visage de Nicholas décomposé...

— Tu mens ! cria-t-il sans oser la regarder en face. Ce n'est pas vrai !

— Si, c'est vrai ! insista Simone. Il est amoureux d'elle. Cela crève les yeux ! Il ne l'a pas quittée d'une semelle depuis qu'ils se sont rencontrés. Ils ont tant de choses en commun... Ils sont tous les deux jeunes et expérimentés, sensibles, ambitieux... Ils seront très heureux ensemble ! Ils sont faits l'un pour l'autre ! conclut-elle, hors d'elle. Comme toi et moi, sommes faits pour vivre ensemble. Je t'assure qu'il faut que tu oublies cette pauvre fille !

— Shana et Philippe..., murmura-t-il, sans pouvoir empêcher un méchant sourire de se dessiner sur ses lèvres. Comme c'est drôle !

— Libre à toi d'en rire ! répliqua Simone.

— J'avoue ne pas saisir l'humour de la chose ! dit-il, en bondissant de son siège, le visage livide. Si tu le permets...

Et sans attendre de réponse, il se dirigea vers la porte. Il avait besoin de retrouver l'air frais de la nuit !

Elle aurait voulu crier son nom, le retenir, mais elle avait tout gâché ! Il était trop tard ! Simone éclata en sanglots : la frustration et la fureur avaient eu raison de sa résistance.

Révolté, Nicholas marchait d'un pas vif. Simone n'avait jamais été aussi belle, mais il n'avait éprouvé le moindre désir. Il s'était senti pris au piège, lui épris de liberté ! Simone ne se rendait pas compte qu'en voulant écarter définitivement une rivale, c'était elle-même qu'elle avait brûlée aux yeux de Nicholas !

Quand il eut claqué la porte derrière lui, Nicholas entendait encore les phrases de Simone résonner. Shana allait épouser Philippe !

Pourquoi avait-il donné libre cours à ses rêves, à ses espoirs ? Bien sûr, on ne pouvait pas demander à Shana de choisir un homme dont la carrière s'était effondrée aussi prématurément ! Philippe était jeune, et ils pouvaient découvrir la vie ensemble.

« C'est moi-même qui ai terni mon image à ses yeux, pensa-t-il. Comment ai-je pu espérer lui offrir quoi que ce soit ? »

Il se rappelait pourtant l'intensité des regards de Shana, le soin avec lequel elle avait obéi à sa discipline, son désir de lui plaire... L'enchantement de la veille de Noël, l'expression de reconnaissance éperdue quand il lui avait offert ses partitions annotées... Les larmes qu'elle avait versées... Il eût mieux valu qu'elle n'eût rien éprouvé pour lui ! La sensibilité d'une élève toute vouée à la musique était plus qu'il n'en pût supporter...

Naturellement, elle avait choisi Philippe qui pouvait lui offrir le monde entier !

Shana attendait dans les coulisses de la salle de concert : le grand jour était arrivé. Après beaucoup d'hésitations, elle avait choisi une robe de soirée de mousseline blanche, à la coupe très classique. Elle avait rassemblé ses cheveux en chignon, laissant quelques boucles encadrer son visage. Elle se sentait extraordinairement calme, mais un éclat trahissait sa tension dans ses yeux violets...

Les semaines avaient passé si vite ! Ce concert lui avait paru si lointain et voilà qu'il ne lui restait que quelques secondes avant d'entrer en scène ! Elle allait apparaître sous les projecteurs et s'asseoir au piano devant le public parisien !

Elle regarda par l'œil du rideau de scène : elle cherchait, dans le premier rang, la place qu'elle avait réservée pour Philippe. Nicholas, qui se tenait près d'elle, suivit son regard : il avait compris à qui elle pensait. Dans son excitation, elle avait saisi d'une main fébrile celle de son professeur...

C'était toujours, pour Nicholas, le moment déterminant de son enseignement ; mais jamais, une audition publique n'avait pris une telle importance. Pour lui aussi, les semaines avaient filé trop vite. Il savait que Shana le quitterait bientôt. Il savait que le moment du départ allait arriver... Chaque leçon devenait plus précieuse. Il s'en était tenu à sa décision de ne pas se mettre en travers de son chemin et, malgré sa détresse, il avait fini par goûter à l'étendue de son sacrifice.

« Dans quelques minutes à peine, pensait Shana, je vais me mettre à jouer. » Elle tremblait et serrait davantage la main de Nicholas.

— Tout ira bien, la rassura-t-il.

— Je ne pensais pas qu'il y aurait autant de monde, murmura-t-elle.

— Tous mes anciens amis sont venus. Il y a longtemps que je n'ai pas présenté de récital de soliste...

Shana entendait le murmure du public dans la salle. Le siège réservé du premier rang était toujours vide.

— Est-ce que Simone est venue ? demanda-t-elle.

— Oui ; elle est au second rang, au milieu, vous la voyez ?

Simone trônait en effet, au deuxième rang, une rivière de diamants cerclant son cou en lançant mille éclats sur une robe noire : elle faisait semblant de ne pas remarquer tous les yeux braqués sur elle. Près d'elle, il y avait un fauteuil vide, sur lequel elle avait négligemment mis son écharpe de soie. Manifestement, elle attendait que Nicholas vînt la rejoindre dès le début du concert. Shana mit quelques minutes à contenir un poignant sentiment de jalousie...

— Etes-vous sûr que je suis présentable comme ça ? demanda-t-elle à Nicholas.

Il l'examina attentivement. Et, au lieu de lui donner la réponse indifférente à laquelle elle s'attendait, il arrangea son petit col de dentelle et sa ceinture de soie bleu marine autour de sa taille de mannequin.

— Voilà ! fit-il, en français. Tout est parfait,

maintenant. Si votre interprétation laisse à désirer, on ne pourra pas dire, du moins, que vous ayez manqué d'élégance, plaisanta-t-il.

— Ne vous moquez pas de moi, je vous en prie ! gémit-elle.

Mais il avait détendu l'atmosphère.

« Et si j'oublie où je suis... si je ne joue pas bien... si Philippe ne vient pas, si... »

— Je sais ce que vous éprouvez, dit Nicholas, avec une sympathie mêlée d'orgueil et de regret.

— Vous êtes prête, Shana. Je ne vous le dirais pas, si je ne le savais pas. Dans quelques minutes, les lumières vont s'éteindre dans la salle. Respirez profondément et donnez-vous entièrement à la musique.

Sans autre commentaire, il sortit des coulisses, et Shana le vit prendre place à côté de Simone.

« J'ai envie de m'en aller ! pensa-t-elle, soudain tendue. Et Philippe, où est-il passé ? Dans quelques minutes, je dois commencer... et puis Nicholas qui s'est assis à côté de Simone ! Je n'y arriverai pas, je n'y arriverai pas ! » Les lumières avaient commencé à faiblir, indiquant que l'heure était venue...

« Je vais sortir par la porte arrière, et les gens ne se rendront pas compte tout de suite, qu'il s'est passé quelque chose d'anormal... »

Les images les plus folles d'une fuite éperdue se bousculaient dans sa tête.

Les lumières de la salle étaient maintenant éteintes. Elle avança alors sous les projecteurs, avec une admirable assurance qui cachait ses craintes. Elle alla jusqu'à la rampe où elle s'inclina gracieusement, puis elle s'assit au piano.

Pendant un instant, Shana eut l'impression de ne

plus appartenir à ce monde. Elle leva les mains sur le clavier… et la musique fut reine. Elle fit preuve d'une remarquable concentration. Elle transposait magiquement, par son interprétation, et son amour frustré pour Nicholas : son humiliation était sublimée avec une perfection qu'elle n'avait jusqu'alors jamais approchée.

Elle venait de plaquer son dernier accord. Elle laissa retomber ses mains le long de son corps. Elle s'inclinait déjà tandis que les applaudissements explosaient dans la salle, ses yeux lançaient des éclairs d'améthyste vers une salle enthousiaste.

Jamais, après ces interminables heures passées dans la sacristie de Saint-Christophe, et ces innombrables accrocs avec Nicholas, elle n'aurait pu imaginer que le récital passerait aussi vite ! Elle quitta la scène avec calme sous les applaudissements frénétiques d'une salle transportée.

Incapable de croire à ce qui lui arrivait, Shana revint s'incliner devant le public qui ne cessait de la rappeler, avec des hurlements d'enthousiasme. On tapait du pied. On se levait et claquait des mains en levant les bras. On criait son nom.

On la réclama encore longtemps. Finalement, les lumières se rallumèrent dans la salle, et le public, encore bouleversé par ce qu'il venait d'entendre, se dirigea vers la sortie, en commentant l'interprétation exceptionnelle dont il avait eu la primeur. Certains amis et élèves de Nicholas envahirent les coulisses, mais ce fut Nicholas le premier à l'approcher. Spontanément, il ouvrit ses bras, et Shana d'un geste naturel courut s'y blottir.

— J'ai réussi ! s'écria-t-elle. J'ai réussi !

— Oui, vous avez été extraordinaire !

— Vraiment ? J'ai été à la hauteur de votre attente ? Je ne vous ai pas déçu ?

Il la prit par les épaules et la regarda droit dans les yeux.

— Sincèrement, dit-il, est-ce que j'ai l'air d'un homme déçu ou embarrassé ! Vous avez fait un travail magnifique ! Vous avez dépassé toutes mes espérances. Voilà ! Vous me croyez maintenant ?

— Oui ! Je pense.

— Ce qui ne signifie pas que vous n'ayez plus besoin de travailler, ajouta-t-il, en laissant retomber ses mains.

Les autres se mirent à rire de sa feinte gravité.

— Mon interprétation n'a pas cédé à la facilité ? insista-t-elle.

— Nous analyserons plus tard votre jeu. Regardez, Shana, il y a quelqu'un qui essaie comme il peut de vous tendre une coupe de champagne... et Danielle rassemble tous vos bouquets.

— Je ne sais pas si je dois rire ou pleurer ! s'écria joyeusement Shana, en recevant tous les bouquets.

Philippe ne s'était pas signalé. Il n'avait pas pris la peine de se déplacer... Mais Shana avait conclu trop vite : Philippe venait vers elle, en essayant de se frayer un chemin à travers la foule. Quelle réaction devait-elle avoir ? Qu'avait-il pensé d'elle ? Comment allait-elle se comporter au milieu de tant de monde ?

La situation dans laquelle ils s'étaient mis tous deux ne leur permettait pas de se parler en public. Il n'y avait, fort heureusement aucun recoin où ils pussent se retirer pour l'instant. La souffrance, que Philippe lui avait infligée en lui retirant son amitié, n'était rien en comparaison de la gifle qu'elle venait de recevoir... S'il n'avait pas assisté au concert, pourquoi se faisait-il voir dans les coulisses ?

Nicholas se tenait derrière Shana, bavardant avec des amis. Oserait-elle lui demander du secours, dans cette situation affreusement embarrassante ? Comprendrait-il ce qu'elle attendait de lui ?

Sans lui laisser le temps de trouver un prétexte de s'adresser à Nicholas, Philippe l'avait rejointe.

— Tu as été merveilleuse ! lui dit-il chaleureusement.

Il essaya de l'embrasser, mais Shana détourna le visage, le laissant pantelant.

— Qui te l'a dit ? demanda-t-elle froidement. Simone ?

— Je ne comprends pas !

— J'avais réservé une place au premier rang pour toi. Elle est restée vide pendant tout le concert. J'ai cru que tu n'avais pas jugé utile de te déplacer pour un aussi négligeable événement...

Elle essayait de ne pas lever la voix et de conserver une expression amicale.

— Excuse-moi, dit Philippe, comprenant enfin le ressentiment de Shana, mais j'étais en retard. Je n'ai pas pu gagner ma place. Tu étais déjà entrée en scène. Je suis resté au fond. Comment as-tu pu penser que je ne viendrais pas, un jour pareil ?

Il lui saisit l'épaule.

— Viens. Nous devons parler. J'ai trop réfléchi pendant ces dernières semaines. Je t'aime, Shana. Je ne peux pas vivre sans toi. Tu dois m'épouser.

Dans la foule des coulisses, Shana n'arrivait pas à croire que Philippe, d'ordinaire si timide et si réservé, osât faire une telle scène. C'était impossible ! Tout enivrée par son propre succès, elle ne savait pas comment affronter la situation.

— Philippe, je crains que ce ne soit ni le moment ni l'endroit idéal ; je t'en prie...

Elle avait beau le supplier du regard, il leva le ton, comme si en parlant plus fort, il la contraindrait à accepter :

— J'ai été assez patient comme ça. Je dois avoir ta réponse tout de suite, Shana ! Veux-tu, oui ou non, m'épouser ?

Des têtes se tournèrent après ces éclats. Nicholas, jusque-là absorbé par sa conversation avec ses amis, se rendit compte que Shana avait des problèmes. Tous les regards étaient braqués sur Philippe. Nicholas se précipita vers lui et lui murmura quelque chose à l'oreille. Le visage de Philippe s'empourpra. Il hésita un moment et saisit le bras de Shana si fort qu'elle grimaça.

— Tu seras à moi ! dit-il d'une voix tremblante.

Il la relâcha, et Shana, abasourdie, le regarda s'éloigner dans la foule.

Simone s'avança.

— Je dois vous demander d'excuser mon cousin. Je crains qu'il n'ait un peu trop bu... Il vient de passer ses examens, vous savez.

Les gens sourirent en hochant la tête. L'atmosphère était à nouveau détendue.

— Venez, Shana, invita Nicholas. On a préparé un buffet pour vous chez monsieur Michel.

Il indiquait un petit vieillard, au visage aigu et féroce, sous une épaisse tignasse blanche.

— Monsieur était critique musical, commenta Nicholas.

Le vieil homme grimaça un sourire.

— Je vous demande simplement quelques minutes, dit Shana en disparaissant dans sa loge.

Elle enleva les épingles à cheveux de son chignon et libéra sa chevelure dorée qu'elle brossa énergiquement.

Elle voyait une étrangère dans le miroir de sa coiffeuse... « Comment puis-je être aussi calme ? se demanda-t-elle. Alors que tant d'événements se précipitent ? »

On frappa à la porte.

— Dépêche-toi, Shana ! On t'attend, on ne peut pas commencer sans toi !

C'était la voix de Danielle.

— Je viens tout de suite ! répondit Shana.

Après un dernier coup d'œil dans le miroir, elle quitta la loge.

Nicholas avait appelé un taxi. Ils allèrent ensemble chez M. Michel. Certains admirateurs étaient partis, d'autres allaient se joindre à eux.

La maison de M. Michel n'était pas ordinaire : le vestibule était décoré de rouleaux japonais, de peintures à l'encre, de vases coréens... Tout le décor était à l'avenant, donnant à la maison un incomparable cachet. On sentait l'homme de goût qui avait longtemps séjourné en Extrême Orient.

Quand Shana fit son entrée dans le salon, au bras de Nicholas, elle fut accueillie par une nouvelle salve d'applaudissements. Nicholas lui tendit une coupe de champagne et la laissa à ses admirateurs.

Il la dévorait des yeux à l'autre bout de la pièce.

Depuis le début de l'année, était-ce l'extraordinaire travail qu'elle avait abattu ? ou l'amitié tourmentée de Philippe qui lui avaient donné cette maturité musicale ? Elle avait tout le talent musical de Simone. Avec quelque chose en plus... Une qualité impalpable, exceptionnelle, car il n'y avait dans sa jeunesse et son ambition aucun artifice.

Nicholas sentait que son cœur battait à tout rompre et que ses yeux allaient trahir son trouble. Il pensa qu'elle était bien capable de mener de front une carrière et une vie de famille. Mais il n'y prendrait aucune part, lui-même ! Il avait trop peu à lui offrir. Ils s'étaient rencontrés trop tard ! Il marmonna des excuses autour de lui et s'isola sur la terrasse.

On avait laissé ouvertes les portes-fenêtres pour permettre, à la brise du soir, de rafraîchir l'atmosphère. Depuis longtemps les ténèbres avaient remplacé les dernières lueurs violacées du crépuscule. Il resta dans l'ombre à regarder la tache noire du jardinet. La nuit semblait rehausser le parfum des fleurs du printemps. Les étoiles étincelaient au firmament. Etait-ce la saison qui les rendait plus brillantes ou son regard qui était devenu plus attentif ?

Depuis quand n'était-il plus seul sur la terrasse ? Etait-ce son pas léger ou son parfum qui l'avaient alerté ? Nicholas se retourna.

— Que regardez-vous, Nicholas ? demanda Shana.

Se sentait-il en sécurité, dans cette ombre ? La perspective de son prochain départ l'autorisait-il à plus de sincérité ? Toujours est-il qu'il désirait ne plus rien lui cacher :

— Un jeune homme qui fut une fois heureux, par

une pareille nuit de printemps, parce qu'il croyait, avec la vanité infinie de la jeunesse, qu'il avait conquis le monde !

— Mais il a effectivement conquis le monde !

— Non Shana ! Le monde ne peut pas être conquis. On arrive parfois à tenir tout juste en équilibre sous les projecteurs. C'est tout.

— Et est-ce qu'on doit gémir quand la lumière se porte sur un autre ? demanda-t-elle.

— Pourquoi dites-vous cela ?

— Je voulais savoir si vous étiez fier de moi... ou si le fait de ne plus pouvoir jouer en public efface tout le plaisir que vous pourriez éprouver à m'écouter ?

— Quelle différence cela ferait-il pour vous ?

— On ne pose pas de question pour se dérober à une réponse !

— Je vous ai dit que j'étais fier de vous, Shana ! Si vous voulez entendre le reste, très bien. Je vous répondrai si vous me promettez de me laisser vous poser une question en retour.

— Très bien.

— Même lors de mes plus grands triomphes, je n'ai jamais éprouvé ce que j'ai ressenti ce soir. Jusque-là, il s'agissait d'une satisfaction personnelle, alors que ce soir c'est une expérience partagée. Pour moi, que ce fût vous et non pas moi qui jouais, cela n'avait plus d'importance. L'essentiel pour moi était que j'eusse participé à votre succès. Vous êtes une élève exceptionnelle et si je pouvais vous garder plus longtemps auprès de moi, je vous le demanderais...

Il s'interrompit soudain, comme s'il en avait déjà trop dit. Elle s'était rapprochée de lui pour ne rien perdre de ses propos murmurés.

Il la regarda à la dérobée, le cœur battant. Il luttait contre la vague d'émotion qui le gagnait. Il serrait les poings derrière son dos. Il aurait voulu la prendre entre ses bras, la serrer contre lui, la protéger...

Le silence commençait à être gênant entre eux.

— Quelle question vouliez-vous me poser ? demanda Shana.

— Allez-vous épouser Philippe ? demanda-t-il avec difficulté.

« Cela lui fait donc quelque chose ! » pensa Shana, tout excitée. Elle était saisie par l'envie perverse de le laisser dans le doute. Elle se rappelait le moindre des tracas que lui avait causés Nicholas, volontairement ou pas. Elle se rendait compte que le rapport des forces avait changé.

— Non, dit-elle cependant. C'est un ami, mais je ne pourrais jamais l'épouser.

Elle eut un regard insistant sur son profil.

— Même si mon cœur n'était pas déjà pris ailleurs, ajouta-t-elle, en espérant qu'il comprendrait.

— Je vois. Vous voulez dire que votre carrière passe avant tout, dit-il, manifestement soulagé. Vous avez raison.

« Oh, Nicholas ! Ne comprendrez-vous jamais ? » avait-elle envie de crier. Mais elle se sentait incapable de prendre les devants. Et le temps passait. Serait-elle contrainte de rentrer aux Etats-Unis sans savoir à quoi s'en tenir sur ses sentiments à lui ?

— Simone m'avait dit..., commença-t-il.

— Pardon ?

— Oh... ! rien. Je pensais simplement à quelque chose que Simone m'avait dit à propos de Philippe et de vous... elle m'avait parlé du choix de la date...

— Eh bien, Simone a commis une erreur, dit-elle sèchement.

— J'en suis heureux. Je croyais que lui et vous... vous étiez très intimes...

« Vous n'oserez pas me poser la question, mais je vous répondrai quand même », pensa-t-elle, et elle ajouta, à voix haute :

— Je ne suis pas amoureuse de lui, Nicholas. Je vous ai dit que je ne cherchais pas d'amoureux, il y a quelques semaines, vous vous en souvenez ? Mais vous ne m'avez pas crue, n'est-ce pas ? Je sais que j'ai prétendu l'aimer, mais je ne disais pas la vérité.

— Je ne mets pas en jeu votre sincérité, Shana. Vous êtes tous les deux jeunes et beaux. J'aurai mal compris ce que m'a dit Simone.

« Oh, non, ce n'est pas vous qui avez mal compris ! C'est bien elle qui a menti, dans l'espoir de vous détourner de moi. Mais peut-être, a-t-elle eu raison. »

Shana soupira et s'éloigna de Nicholas ; elle quitta la terrasse et rejoignit les invités.

— Shana !

Nicholas l'avait suivie, et, lui prenant la main, l'attirait vers lui.

— Promettez-moi quelque chose.

— Quoi donc ?

— Ne regrettez rien... Essayez de faire les vrais choix... Il serait absurde de vous sacrifier.

— Et vous qui m'avez fait un sermon sur le sacrifice ! Vous vous contredites maintenant ?

— Non. Ce que j'ai dit de la musique tient toujours. Je parle maintenant des personnes. Ne jouez pas aux héroïnes, seules, face à leur destin ! Promettez-le-moi !

— Je vous le promets.

Elle ne comprenait pas entièrement ce à quoi il faisait allusion, puisqu'il s'interdisait d'aller jusqu'au bout de sa pensée. Il ne voulait pas renoncer au mystère dont il s'était jusque-là entouré, et auquel il croyait devoir son pouvoir sur elle.

— Nicholas, est-ce que vous m'estimez assez mûre maintenant ?

— Vous en avez pris la route, en tout cas. Votre interprétation a maintenant acquis une sensibilité qui lui faisait défaut...

— Et à quoi dois-je cela, à votre avis ?

— A mon remarquable enseignement ! Rentrons, s'il vous plaît...

Dès qu'ils se retrouvèrent dans la foule des invités, il fut accaparé par Simone. Au fur et à mesure que la soirée avançait, les gens perdaient leur intérêt pour Shana. Les invités s'étaient groupés par affinités et parlaient d'autre chose que de musique. Quelqu'un servit Shana, lui sourit et s'éloigna. Elle s'assit à l'écart, au pied d'une plante grasse, sur un pouf.

— Si j'avais connu votre penchant pour les poufs, j'aurais choisi un autre siège, dit une voix ironique derrière elle. Mais c'est mon préféré. Vous mériteriez que je vous renvoie pour votre méchante invasion dans mon domaine ! ajouta-t-il en plaisantant.

Shana se retourna en sursautant et découvrit le visage émacié de son hôte, M. Michel, qui buvait une gorgée de vin, en la fixant de ses yeux globuleux.

— Est-ce que vous allez écrire un article sur mon récital ? demanda-t-elle.

— Je suis à la retraite, maintenant ! Je me contenterai d'une critique privée. Très bien. Vraiment très bien.

— C'est tout ? demanda-t-elle, interloquée.

Il ne put s'empêcher de rire devant sa déception.

— J'en ai parlé dans les détails à Nicholas. Je suis bien certain qu'il vous le répétera s'il l'estime utile. Mais en général, il ne le fait pas.

— Vous m'êtes sympathique, dit-elle. Je regrette de ne pas vous avoir rencontré plus tôt.

— Même en remontant trente ans en arrière, ce n'aurait pas été assez tôt pour moi, répondit-il avec un sourire amer. Je suis très vieux maintenant, même trop vieux pour voyager... Mon seul plaisir, c'est de m'occuper de ce qui ne me regarde pas... Je peux le faire avec vous ?

Déconcertée par sa franchise, et intriguée par son sens de l'humour, elle hocha la tête. Que complotait-il ? Elle prit place sur le même pouf que lui. Les autres ne les voyaient pas. Et quand M. Michel se mit à parler, Shana se dit que c'était préférable ainsi.

— Vous savez que Nicholas a fait des ravages parmi les dames de la société internationale ? Il a à peine goûté à sa vedette du bel canto que le voilà en proie à un grand vide intérieur ? Et vous savez à quoi il s'en est rendu compte ?

Qu'est-ce qui autorisait ce vieil échotier à la prendre pour confidente sur un tel sujet ? Elle se contenta de secouer la tête.

— Quand le « vide » était plein et qu'il menaçait de se vider, alors il a su qu'il souffrirait. Après avoir connu la joie, il ne recherche plus que l'austérité. C'est ce qui le rend mélancolique. C'est pourquoi il cherche refuge dans l'obscurité de ma terrasse.

Monsieur Michel prit une carte de visite dans la poche intérieure de sa veste. Il inscrivit un nom.

— Voici l'homme que vous devriez rencontrer. Il est venu ce soir. Il vous a entendue jouer. Il vous attend. Pensez à ce que je vous ai dit, ma chère. C'est à vous de choisir, votre avenir est entre vos mains. N'ayez pas peur. Allez voir mon ami.

Il lui mit la carte dans la main. Il se leva et reconduisit Shana dans la cohue.

L'ami intuitif de Nicholas avait bien défendu sa cause. Elle pensait avoir compris ce qu'il voulait dire. La responsabilité lui revenait, mais l'idée d'ouvrir son cœur à Nicholas l'effrayait. Elle ne supporterait pas un refus.

Comme la nuit avançait et que la soirée allait s'achever, Shana fit poliment la conversation à chaque invité. Il ne restait plus que huit invités, et le jour se levait. L'hôte leur prépara un petit déjeuner. Simone s'était éclipsée : elle avait remis à plus tard ses intrigues. Shana avait Nicholas à elle toute seule !

Elle l'observait, comme si elle le voyait pour la première fois. Qu'avait donc cet homme pour faire chavirer son cœur dès qu'elle croisait son regard ? Il semblait fatigué, mais en même temps plus détendu que jamais.

Ils furent les derniers à repartir, reconduits à la porte par leur hôte, au petit jour. Shana l'embrassa spontanément. Ses yeux brillèrent, tandis qu'il déposait un baiser sur chaque joue de la jeune fille.

— Bonne chance ! fit-il. Mais vous n'en avez pas besoin.

— Bonne chance pour quoi ? grommela Nicholas

dans le taxi. Est-ce que vous avez décidé de faire du charme à tous les hommes que vous rencontrez ?

— Je ne peux m'en empêcher, que voulez-vous ? ironisa Shana. Vous pensez que je vais dormir pendant toute la journée ?

— Ce serait une très bonne chose, dit-il en étendant le bras sur le dossier de la banquette arrière.

Elle reposa la tête sur le bras de Nicholas. Il lui entoura les épaules, en prenant sa main dans la sienne.

— Vous avez passé une agréable soirée ?

— Oh oui ! dit-elle, en étouffant un bâillement.

— Vous êtes contente de votre concert ?

— Naturellement ! dit-elle en fermant les yeux. Mais je ne supporte pas l'idée de devoir quitter Paris.

— Nous devons avoir une conversation lors de votre prochaine leçon, dit-il. J'ai encore beaucoup à vous dire avant que vous ne me quittiez.

« Avant que vous ne me quittiez... » avait-il dit. Et non pas : « Avant votre départ » ou « avant votre retour ». « Avant que vous ne me quittiez », répéta-t-elle, le cœur battant.

« Je ne vous quitterai jamais, pensa-t-elle, en souriant. Si vous me permettez de rester. Si seulement vous me permettiez de rester... »

Quand le taxi s'arrêta devant l'immeuble de Shana, les rues de Paris commençaient à être baignées de lumière. Nicholas descendit de voiture, en même temps qu'elle pour faire quelques pas en sa compagnie. Il avait posé une main sur son épaule.

« Embrasse-moi ! suppliait-elle, en silence. Tu dois m'embrasser maintenant ! »

Ils étaient arrivés au porche de l'immeuble de

Shana. Nicholas attira la jeune fille contre sa poitrine, et pencha la tête vers son visage. Le printemps était à son apogée sous le soleil tiède du matin. Shana s'offrait enfin à l'homme qu'elle aimait. Le moment qu'elle avait si désespérément attendu était enfin arrivé !

Avait-il imaginé qu'il serait capable de s'en tenir à un chaste baiser d'ami ? Dès que leurs lèvres se rencontrèrent, il comprit qu'il s'était bercé d'illusion à vouloir trop refouler son désir... Il l'embrassa avec fougue. Il sentait le corps souple et vivant de Shana répondre à son étreinte et manifester un trouble aussi puissant que celui qu'il éprouvait. Elle tremblait entre ses bras et quand elle entrouvrit les yeux, il pouvait y lire une insatiable ardeur...

Il caressa doucement sa douce chevelure dorée. Elle soupira et se rapprocha de lui. Emportés par la passion, ils s'embrassèrent à nouveau.

Soudain, il se détacha d'elle. Et sans un mot, il remonta dans le taxi. Tandis que la voiture l'emportait dans le flot de la circulation matinale, il ne jeta pas un regard derrière lui. Elle restait figée comme une statue sur le trottoir, folle d'émotion.

Elle faisait le compte des reproches que pouvait lui faire la concierge : dehors toute la nuit ! embrassée par un homme sur le trottoir ! le visage rouge, pour avoir trop bu de champagne !

En effet, quand elle entra dans le vestibule, elle aperçut le visage chafouin de la commère, curieuse de connaître la personne qui utilisait l'ascenseur à cette heure... Shana eut un petit sourire pincé en entrant dans la cage d'ascenseur.

Elle riait en entrant dans son appartement. Pendant un moment, elle se tint à la fenêtre... Paris s'étendait à ses yeux, aussi agité que tous les autres jours... Mais ce n'était pas un jour ordinaire, pour elle ! Chaque couleur était plus vive ! Chaque parfum plus enivrant ! L'air était plus doux... Jusqu'aux coups de klaxon qui semblaient de joyeux encouragements...

Elle aurait voulu pouvoir résister au sommeil. Mais sa fatigue eut raison d'elle, et elle s'étendit sur son lit.

CHAPITRE X

Shana avançait d'un pas vif et léger, dans la foule des boulevards de la rive droite, jusqu'à l'appartement de Nicholas. Le soleil lumineux du printemps faisait jouer ses reflets dans sa chevelure d'or. Elle regardait autour d'elle ce décor maintenant familier et accueillant. Elle ne se rendait pas compte que de nombreux regards masculins, fascinés par sa grâce juvénile, étaient braqués sur elle...

Elle savait qu'elle était en retard pour sa leçon, mais son rendez-vous avec l'homme indiqué par M. Michel avait duré plus longtemps que prévu. Le résultat avait dépassé ses rêves... à condition que Nicholas acceptât ses projets. Il le fallait !

Enfin, elle devrait prendre son courage à deux mains et le persuader !

Elle avait bien réussi à affronter un public, pourquoi aurait-elle peur de retrouver Nicholas ?

Elle avait également convaincu Philippe de son amitié pour lui. Le lendemain de la soirée de concert, il était venu la voir à son appartement, avec un air de contrition. Ils avaient parlé longuement et s'étaient quittés bons amis.

Shana arriva devant l'immeuble de Nicholas.

Elle poussa la lourde porte et prit l'ascenseur. Mimi vint ouvrir. Elle avait un air irrité qui reflétait l'humeur de son maître...

— Où est-elle ? vociféra Nicholas, en apparaissant au fond de l'appartement. Elle est en retard !

— Me voici, me voici ! s'écria Shana d'une voix joyeuse, en le suivant dans la salle de musique.

Il tenait dans la main l'œuf de porcelaine.

— Je pensais que vous ne viendriez pas, lança-t-il froidement en remettant l'œuf à sa place.

Cet accueil décontenança Shana. Nicholas était habillé avec son élégance coutumière, mais son expression trahissait sa détresse. Ses yeux gris étaient cernés, ses traits tirés ; il semblait en proie à un affreux désespoir.

— Mais, pourquoi ne serais-je venue ? demanda-t-elle, en s'asseyant sur le canapé. J'ai été retenue. J'avais un rendez-vous auquel je ne pouvais pas me soustraire, et il a duré plus longtemps que prévu.

Elle le considérait avec calme, le dos raidi, le visage impassible. Lui aussi, la regardait avec attention : « Dans quelques jours, elle disparaîtra de ma vie, aussi furtivement qu'elle y est entrée ! » pensa-t-il avec angoisse.

— Vous vouliez me parler ? demanda-t-elle.

— Oui.

Il s'assit à l'autre extrémité du canapé.

— J'ai écrit à un agent que je connais à New York. Il sera ravi de vous servir d'imprésario. Vous lui téléphonerez dès que vous serez arrivée à l'aéroport Kennedy, avant même de repartir pour l'Ohio. Il attend votre coup de fil. Il arrange déjà une tournée, limitée à certaines villes, naturellement, pour commencer... Il faudra que je vous explique comment vous organiser pour répéter tout en voyageant... enfin, ce genre de choses... C'est vraiment dommage que nous n'ayons pas plus de temps...

— Je pense que nous avons tout le temps, murmura-t-elle en levant, vers lui, son regard violet.

— Que voulez-vous dire ? demanda Nicholas dans un souffle.

— Je suis très flattée du soin avec lequel vous essayez de me lancer... Cela me fait un immense plaisir, mais, je ne pourrai pas appeler cet imprésario.

— Mais c'est absurde ! J'étais convaincu que vous désiriez faire carrière... et maintenant, vous vous conduisez comme n'importe quelle femme capricieuse ! Voilà que vous allez me dire que vous préférez jouer les mères de famille...

— Il y a du vrai dans vos paroles, affirma-t-elle avec un sourire. Si je retournais chez moi, je n'hésiterais pas à appeler cet agent. Mais je ne prendrai pas l'avion de New York, jeudi... Je reste à Paris.

— Qu'avez-vous dit ? demanda-t-il, abasourdi.

— Je ne pars pas.

— Votre bail de location est échu.

— Je l'ai reconduit.

— Votre bourse est terminée.

— J'ai demandé un renouvellement.

— Je prends un nouvel élève chaque année. C'est la règle de mon enseignement.

— Je le sais. J'ai demandé à être inscrite au Conservatoire supérieur. C'est la raison de mon retard. J'ai eu un entretien avec François Sabien. Ce sera mon professeur, à partir de cet été.

— Vous ne partez pas, vous ne commencez pas votre tournée ! Pourquoi ?

— Je ne me sens pas prête.

— Vous l'êtes, croyez-moi.

— Je pense que j'ai encore besoin de raffiner mon interprétation avec une année d'études... Est-ce que vous voulez vraiment me voir partir ?

Elle s'était levée, prête à argumenter.

— Non, je ne vous donne pas tort. Non, je ne veux pas que vous partiez.

— Pourquoi ? lança-t-elle, sur la défensive.

« Oh ! s'il vous plaît ! Parlez ! » suppliait-elle intérieurement.

— Cela me regarde, répliqua-t-il, en lui tournant le dos et en regardant par la fenêtre, la colline de Montmartre.

— Vous n'êtes peut-être pas le meilleur juge en la matière, rétorqua-t-elle doucement.

— Et vous ! demanda-t-il sans se retourner.

— J'ai peut-être mon mot à dire... Comment osez-vous réfléchir à ma place ? Je suis capable de parler en mon nom, au nom de mes sentiments, il me semble, Nicholas Rubinsky ! Si vos raisons me concernent, j'ai le droit de les connaître !

— Non, fit-il sur un ton implacable.

— Est-ce que vous ne voulez pas connaître les raisons de ma décision ?

— C'est évident : vos études, votre amour de Paris, Philippe !

— Vous en êtes si sûr ? dit-elle avec une ironie douloureuse. Il y a d'autres centres culturels au monde qu'à Paris ! J'aime cette ville, parce que je m'y sens chez moi, maintenant. Philippe est un ami et rien de plus ! Je ne l'épouserai jamais ! Est-ce que vous m'entendez ? Pourquoi ne vous retournez-vous pas pour me regarder en face ! Vous verriez bien que je ne mens pas !

Maintenant qu'elle avait commencé à s'emporter, plus rien ne pouvait l'arrêter.

— Je n'aime pas Philippe d'amour, vous le savez parfaitement ! Depuis Noël, vous savez très bien que le seul homme que j'aime c'est vous !

Il se raidit et se tourna enfin vers elle, doucement, presque involontairement. Il était terriblement pâle...

— C'est impossible ! fit-il.

— Pourquoi ?

— J'ai dix ans de plus que vous.

— Qu'est-ce que l'âge change à l'amour ?

— Je suis égoïste, têtu...

— Je sais m'adapter.

— Je vous empêcherai de faire carrière...

— Au contraire, vous m'aideriez de manière inestimable. Est-ce que vous croyez que sans vous, j'aurais joué aussi bien ? C'est grâce à vous que j'ai oublié toute appréhension. Nicholas, vous l'avez oùblié ? Vous m'avez mise hors de moi quand vous m'avez dit que je n'avais jamais été amoureuse. C'est vrai... Mais, il doit être évident, même pour vous, que j'ai changé ! Si vous n'en croyez pas mes paroles, au moins fiez-vous à ma musique ! Je le répéterai. Je le répéterai durant toute ma vie. Je vous aime !

— Pensez à vos parents, Shana. Que diront-ils ?

— Ils seront heureux pour moi.

— Et votre foyer, à vous ? Vos enfants ? Vous avez dit que c'était un objectif tout aussi important.

— Vous n'aimez pas les enfants ?

— Si, naturellement ! J'ai souvent rêvé d'en avoir... Mais j'y avais renoncé... Non, Shana, ce n'est pas possible !

— Est-ce que vous m'aimez ?

— Vous avez l'air d'une gamine quand vous me posez cette question...

— Moquez-vous de moi autant que vous voudrez, mais répondez à ma question ! M'aimez-vous ?

Nicholas plongea ses yeux dans les siens... Il se souvenait de la perfection de son interprétation musicale... Il devait reconnaître qu'elle avait raison. Elle l'aimait !

— Oui, Shana, je vous aime !

Il la fit s'asseoir sur le canapé.

— Je vais prendre du café. En voulez-vous ? demanda-t-il.

— Oui, je veux bien.

Elle appuya la tête sur le dossier, sans le quitter des yeux. Il lui tendit une tasse.

— Vous êtes très obstinée, n'est-ce pas ? demanda-t-il en prenant place près d'elle. Vous allez vraiment rester à Paris ?

Il était tellement troublé par sa présence... Il ne voyait plus clair en lui... La jeune fille qui était près de lui avait une ambition, une vigueur, une détermination insoupçonnables...

Il ouvrit les bras, et elle se blottit contre sa poitrine.

— Il y a une seule chose que je voudrais vous demander, Shana. Avec toutes les richesses que la vie vous offre désormais, pourquoi est-ce moi que vous avez choisi ?

— Est-ce que tu m'emmèneras en Grèce ? Après notre mariage...

— Tout ce que tu désireras, mon amour, à condition que tu répondes à ma question.

— Le cœur a ses raisons, Nicholas.

Elle sourit. Le visage de Nicholas rayonnait du même bonheur. Il semblait heureux et libre, pour la première fois de sa vie... Les frustrations de sa solitude étaient soudain résolues. Il la serra dans ses bras et l'embrassa avec passion.

— Après notre mariage, répéta-t-il, contre sa joue. Bientôt... il faut se marier le plus vite possible... Je ne peux plus attendre...

— Dès que tu le voudras, mon chéri.

Il avait recouvré l'enthousiasme de sa jeunesse.

— Je t'aime, Shana ! et je te rendrai heureuse !

Qu'importaient les caprices et les frustrations passés ? L'avenir leur souriait : s'il y avait des victoires à remporter, elles seraient partagées !

FIN

Ce mois-ci, vous lirez dans nos collections :

COLLECTION NOUS DEUX

DE FEU ET DE GLACE

d'Harlene Hale

Un domaine maudit... Une domestique invisible... Un jardinier intellectuel... Des visiteurs inattendus... Un soupirant inquiet... Pour la jeune modéliste, Lori Mitchell, la vie recèle tout à coup bien des mystères !...

COLLECTION INTIMITÉ

Anne Shore

DANS L'AZUR EBLOUISSANT

Une erreur d'ordinateur, et voilà la ravissante Kristen Young entraînée jusqu'aux îles grecques dans le sillage d'un séduisant milliardaire ! Sera-t-elle prise dans les filets de son propre piège ?...

COLLECTION DELPHINE

Bons baisers du paradis...

de Jacqueline Hacsi

Quelle ironie du sort ! Avoir économisé pour s'offrir des vacances dans l'île du Paradis et tomber amoureuse sans espoir de retour d'un homme aussi riche que fantasque ! Quelle faiblesse de la part de Pamela ! Mais en est-ce une vraiment ?...

COLLECTION DELPHINE

Le château des soupirs

de Vanessa Blake

Pour Rachel Gilmore, orpheline sans fortune, épouser un beau et jeune lord est un sort très enviable. Même temporairement pour satisfaire à une exigence testamentaire ! A moins évidemment que le mari ne soit trop beau pour être honnête...

Achevé d'imprimer
le 28 septembre 1982
sur les presses
de l'imprimerie Cino del Duca,
18, rue de Folin, à Biarritz.
N° 277.

Dépôt légal n° 152.   Octobre 1982.